CONTEÚDO DIGITAL PARA ALUNOS

Cadastre-se e transforme seus estudos em uma experiência única de aprendizado:

1 Escaneie o QR Code para acessar a página de cadastro.

2 Complete-a com seus dados pessoais e as informações de sua escola.

3 Adicione ao cadastro o código do aluno, que garante a exclusividade de acesso.

1628083A2822664

Agora, acesse:
www.editoradobrasil.com.br/leb
e aprenda de forma inovadora e diferente! :D

Lembre-se de que esse código, pessoal e intransferível, é valido por um ano. Guarde-o com cuidado, pois é a única maneira de você utilizar os conteúdos da plataforma.

Editora do Brasil

MATEMÁTICA

JOSIANE SANSON
MEIRY MOSTACHIO

MITANGA PALAVRA DE ORIGEM TUPI QUE SIGNIFICA "CRIANÇA" OU "CRIANÇA PEQUENA".

1ª EDIÇÃO
SÃO PAULO, 2020

Dados Internacionais de Catalogação na Publicação (CIP)
(Câmara Brasileira do Livro, SP, Brasil)

Sanson, Josiane
  Mitanga matemática : educação infantil 2 / Josiane Sanson, Meiry Mostachio. -- São Paulo : Editora do Brasil, 2020. -- (Mitanga)

  ISBN 978-85-10-08227-3 (aluno)
  ISBN 978-85-10-08228-0 (professor)

  1. Matemática (Educação infantil) I. Mostachio, Meiry. II. Título. III. Série.

20-35615   CDD-372.21

Índices para catálogo sistemático:

1. Matemática : Educação infantil   372.21

Cibele Maria Dias - Bibliotecária - CRB-8/9427

© Editora do Brasil S.A., 2020
Todos os direitos reservados

Direção-geral: Vicente Tortamano Avanso

Direção editorial: Felipe Ramos Poletti
Gerência editorial: Erika Caldin
Supervisão de arte: Andrea Melo
Supervisão de editoração: Abdonildo José de Lima Santos
Supervisão de revisão: Dora Helena Feres
Supervisão de iconografia: Léo Burgos
Supervisão de digital: Ethel Shuña Queiroz
Supervisão de controle de processos editoriais: Roseli Said
Supervisão de direitos autorais: Marilisa Bertolone Mendes

Supervisão editorial: Carla Felix Lopes
Edição: Jamila Nascimento e Monika Kratzer
Assistência editorial: Beatriz Pineiro Villanueva
Auxílio editorial: Marcos Vasconcelos
Especialista em copidesque e revisão: Elaine Cristina da Silva
Copidesque: Giselia Costa, Ricardo Liberal e Sylmara Beletti
Revisão: Alexandra Resende, Amanda Cabral, Andreia Andrade, Fernanda Almeida, Fernanda Prado, Flávia Gonçalves, Gabriel Ornelas, Mariana Paixão, Martin Gonçalves e Rosani Andreani

Pesquisa iconográfica: Tatiana Lubarino
Assistência de arte: Carla Del Matto
Design gráfico: Gris Viana/Estúdio Chaleira
Capa: Obá Editorial
Edição de arte: Paula Coelho
Imagem de capa: Luna Vicente
Ilustrações: Alex Cói, Alexandre Matos, André Aguiar, Carolina Sartório, DAE, Hélio Senatore, Henrique Brum, Ilustra Cartoon, Luiz Lentini, Paula Kranz e Ricardo Ventura
Editoração eletrônica: NPublic/Formato Editoração
Licenciamentos de textos: Cinthya Utiyama, Jennifer Xavier, Paula Harue Tozaki e Renata Garbellini
Controle de processos editoriais: Bruna Alves, Carlos Nunes, Rita Poliane, Terezinha de Fátima Oliveira e Valéria Alves

1ª edição / 1ª impressão, 2020
Impresso na Ricargraf Gráfica e Editora Ltda.

Rua Conselheiro Nébias, 887
São Paulo, SP – CEP 01203-001
Fone: +55 11 3226-0211
www.editoradobrasil.com.br

APRESENTAÇÃO

A VOCÊ, CRIANÇA!

Preparamos esta nova edição da coleção com muito carinho para você, criança curiosa e que adora fazer novas descobertas! Com ela, você vai investigar, interagir, brincar, aprender, ensinar, escrever, pintar, desenhar e compartilhar experiências e vivências.

Você é nosso personagem principal! Com esta nova coleção, você vai participar de diferentes situações, refletir sobre diversos assuntos, propor soluções, emitir opiniões e, assim, aprender muito mais de um jeito dinâmico e vivo.

Esperamos que as atividades propostas em cada página possibilitem a você muita descoberta e diversão, inventando novos modos de imaginar, criar e brincar, pois acreditamos que a transformação do futuro está em suas mãos.

A boa infância tem hora para começar, mas não para acabar. O que se aprende nela se leva para a vida toda.

As autoras.

CURRÍCULO DAS AUTORAS

JOSIANE MARIA DE SOUZA SANSON

- ▼ Formada em Pedagogia
- ▼ Especialista em Educação Infantil
- ▼ Pós-graduada em Práticas Interdisciplinares na Escola e no Magistério Superior
- ▼ Pós-graduada em Administração Escolar
- ▼ Experiência no magistério desde 1982
- ▼ Professora das redes municipal e particular de ensino
- ▼ Autora de livros didáticos de Educação Infantil

ROSIMEIRY MOSTACHIO

- ▼ Formada em Pedagogia com habilitação em Orientação Escolar
- ▼ Pós-graduada em Psicopedagogia
- ▼ Mestre em Educação
- ▼ Experiência no magistério desde 1983
- ▼ Professora das redes estadual e particular de ensino
- ▼ Ministrante de cursos e palestras para pedagogos e professores
- ▼ Autora de livros didáticos de Educação Infantil e Ensino Fundamental

SUMÁRIO

UNIDADE 1 – NÚMEROS QUE EU VEJO! 6

UNIDADE 2 – BRINCAR E APRENDER MATEMÁTICA 28

UNIDADE 3 – CURIOSAS COLEÇÕES 54

UNIDADE 4 – UM PASSEIO ESPECIAL 78

UNIDADE 5 – MATEMÁTICA NAS RUAS 102

UNIDADE 6 – OS SEGREDOS DO MAR 126

TAREFAS PARA CASA 153

ENCARTES 177

ESCREVENDO OS NÚMEROS

▼ Você conhece os números?

Use canetinha hidrocor colorida e escreva da maneira que souber os números que você conhece.

Depois, leia para os colegas e o professor os números que você escreveu.

CAÇADOR DE NÚMEROS

▼ Onde estão os números na escola que você frequenta?
   Encontre números nos espaços da escola e copie-os nesta página. Depois, com os colegas e o professor, identifique quais números foram encontrados.

CONTANDO QUANTIDADES

Conte as figuras e ligue-as ao número que representa essa quantidade.

▼ Qual figura há em **maior** quantidade?
▼ E qual figura há em **menor** quantidade?

Circule de **azul** o grupo que tem **mais** figuras e de **marrom** o grupo que tem **menos** figuras.

TAREFA PARA CASA 1

NÚMEROS E QUANTIDADES

1

2

3

4

5

6

7

8

9

10

▼ Você sabe dizer a sequência dos números até **10**?

Observe os números em cada quadrinho e, usando cola colorida, faça bolinhas dentro deles para representar as quantidades indicadas.

Depois, com os colegas e o professor, diga em voz alta a sequência numérica de **1** a **10**.

▼ Onde você fez **mais** bolinhas? Quantas bolinhas foram?

MAIS QUE NÚMEROS • MAIS QUE NÚMEROS •

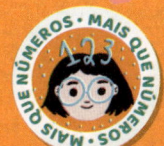

▶ TRILHA DE NÚMEROS

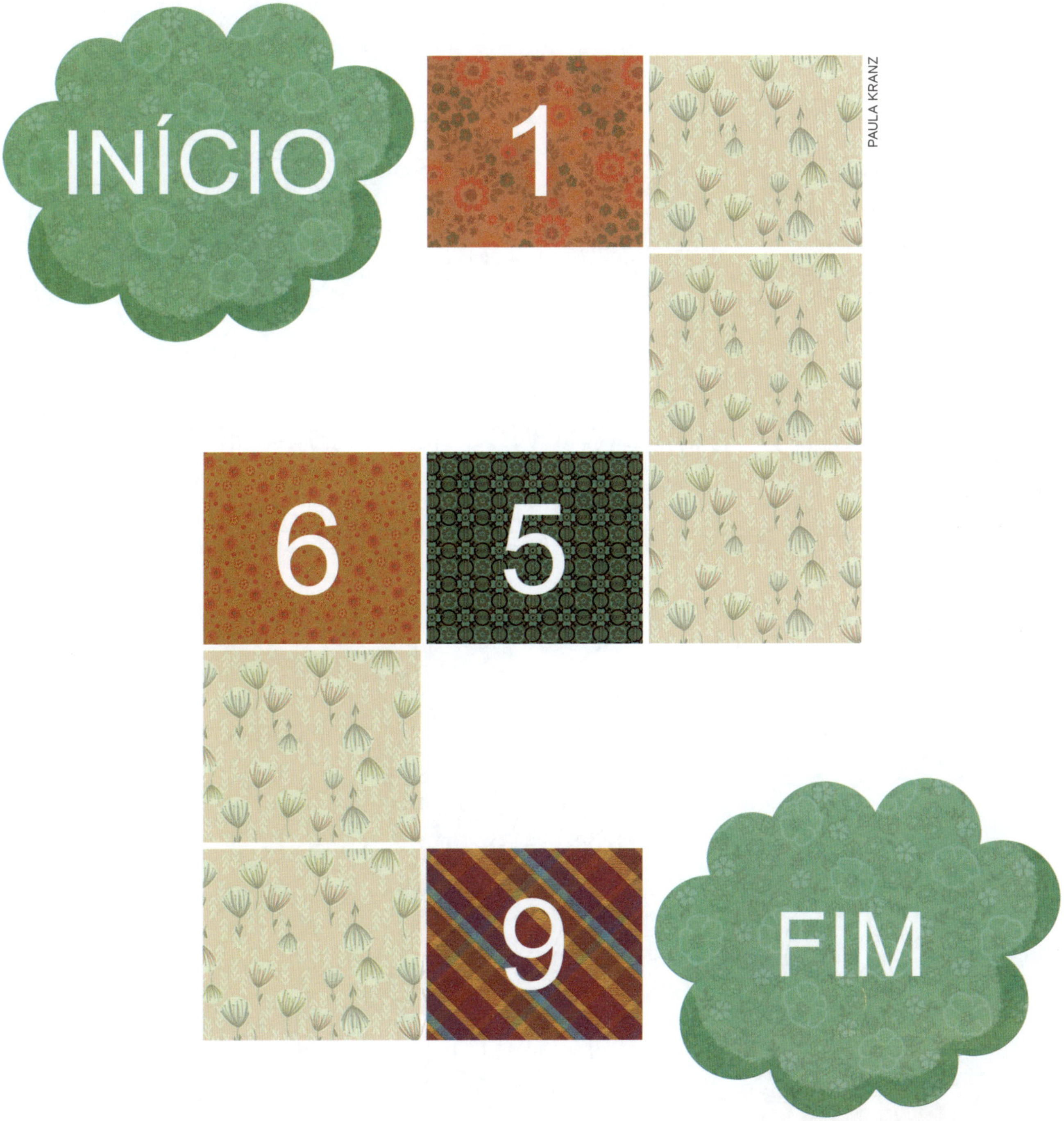

PAULA KRANZ

Complete a trilha com os números que faltam. Para isso, destaque-os da página 177 do encarte e cole-os nos quadrados em **ordem crescente**.

Junte-se com mais dois colegas e brinquem de "trilha" usando um dado. Ao cair em um quadrinho numerado, você deve mostrar palitos de sorvete na quantidade indicada.

CONTE E REGISTRE

Observe a turma de uma escola e escreva nos quadrinhos a quantidade de crianças em cada grupo.
▼ Em qual grupo há **mais** crianças?

Pinte-o para demonstrar. Depois, com a ajuda do professor, conte quantas crianças há em sua turma e descubra se ela tem **mais** crianças ou **menos** crianças do que a turma apresentada na imagem.

UM ATRÁS DO OUTRO

O MEU VELHO

ATRÁS DO RATO
TEM SEMPRE UM GATO.
ATRÁS DO GATO
TEM SEMPRE UM CÃO.
ATRÁS DO CÃO
TEM UM MENINO.
E ATRÁS DELE
TEM SEMPRE UM PAI.
[...]

PEDRO BANDEIRA.
CAVALGANDO O ARCO-ÍRIS.
25. ED. SÃO PAULO:
MODERNA, 1995. P. 36.

Acompanhe a leitura do professor. Depois, destaque os personagens da página 177 do encarte e cole-os ao lado do poema na ordem em que foram citados.

▼ Quantos personagens são citados no texto? Escreva o número correspondente ao total de personagens no quadrinho.

▶ NÚMEROS POR TODA PARTE

O QUE É, O QUE É?

QUE FALA E OUVE,
MAS NÃO É GENTE.

ADIVINHA.

Leia a adivinha com a ajuda do professor e juntos descubram a resposta. Depois, complete o teclado do celular escrevendo os números que faltam.

▼ Você percebeu que os números estão organizados do **menor** para o **maior**?

Descubra o número do telefone de sua escola e escreva-o no visor do celular.

OS NÚMEROS MARCAM O TEMPO

O QUE É, O QUE É?

QUE DÁ MUITAS VOLTAS,
MAS NÃO SAI DO LUGAR.

ADIVINHA.

LUIZ LENTINI

Acompanhe a leitura da adivinha e observe a imagem para descobrir a resposta. Depois, complete o relógio escrevendo os números que faltam.

▼ Que horas esse relógio está marcando? Descubra com a ajuda do professor.

▼ A que horas é o recreio da escola?

DESCOBRINDO OS NÚMEROS

IDADE

— QUANTOS ANOS TENS, CARLINHOS? PERGUNTOU A TIA INÊS.
— LOGO EU FAÇO SETE ANINHOS, MAS POR ORA TENHO TRÊS.

TATIANA BELINKY. **CINCO TROVINHAS PARA DUAS MÃOZINHAS**. 2. ED. SÃO PAULO: EDITORA DO BRASIL, 2008. P. 19.

NOME: _____

QUANTOS ANOS VOCÊ TEM? _____

QUAL É O DIA DE SEU ANIVERSÁRIO? _____

QUE NÚMERO DE ROUPA VOCÊ USA? _____

QUE NÚMERO DE SAPATO VOCÊ CALÇA? _____

Ouça a leitura que o professor fará e descubra a idade do menino.
▼ Vamos conhecer alguns números sobre você?
Complete a ficha com seus dados e, depois, diga para os colegas e o professor outros números sobre você.
▼ Você sabe o número de sua casa? E de seu telefone?

QUANTOS ANOS ELE TEM?

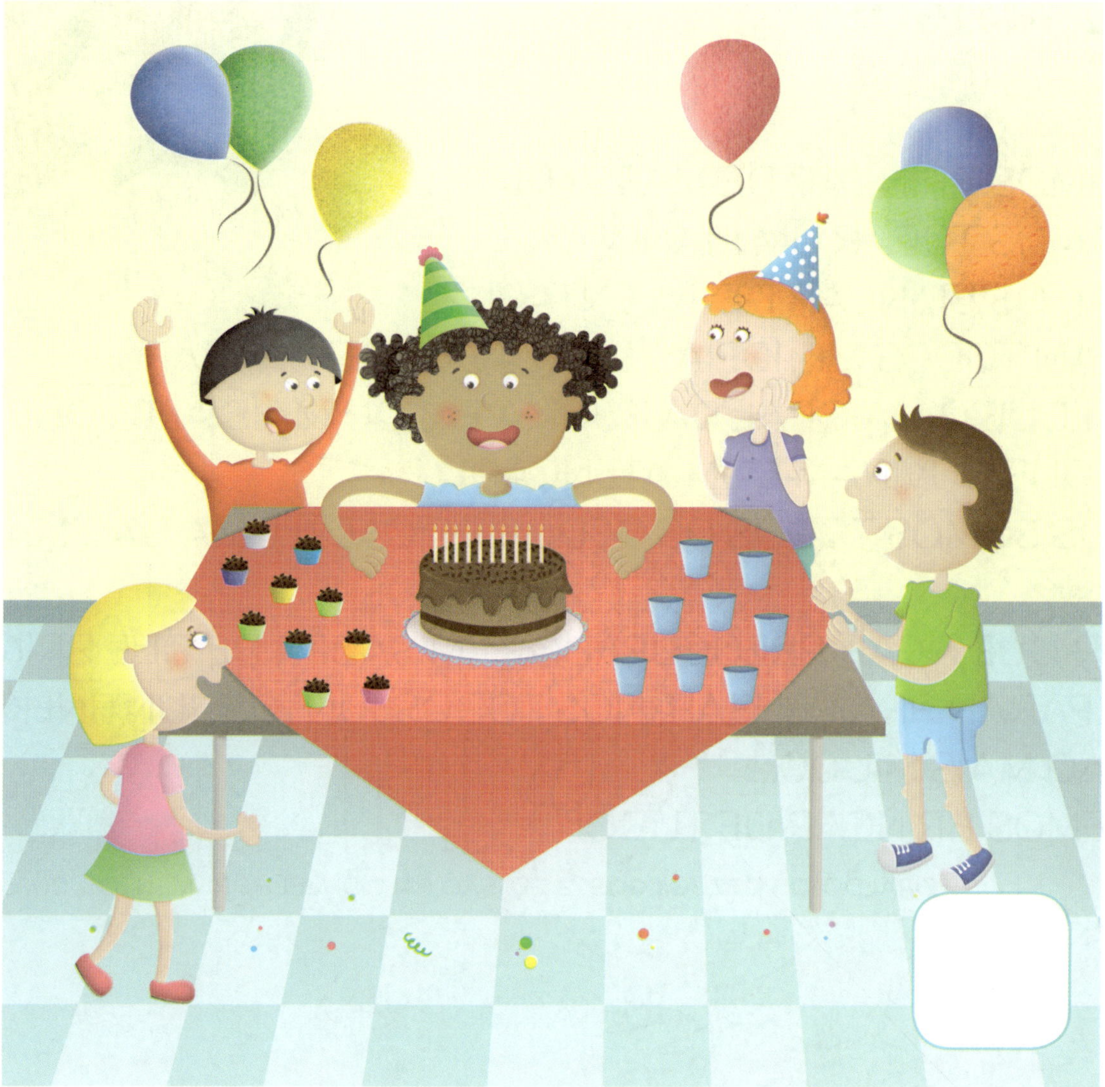

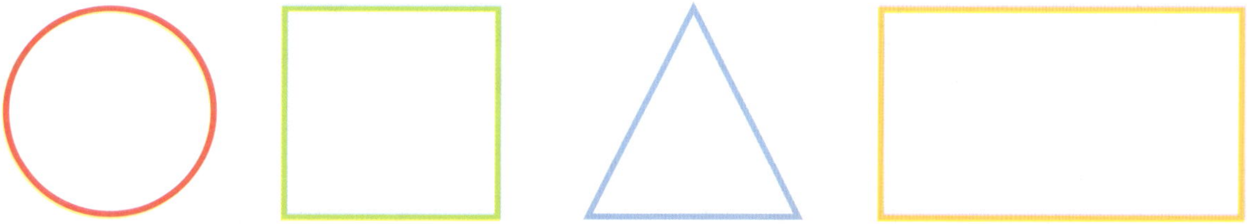

▼ Quantos anos o aniversariante está fazendo?
   Conte as velinhas que mostram a idade do menino e registre no quadro o número correspondente a ela.
   Alguns itens ilustrados na cena se assemelham a formas geométricas. Observe bem o bolo e pinte a forma geométrica com a qual ele se parece.
▼ Você sabe o nome dessa forma geométrica?

▶ QUEM SÃO? ONDE ESTÃO?

OS DEZ AMIGOS

[...]
— VAMOS BRINCAR DE MASSINHA?
— VAMOS TOCAR UM PIANO!
— VAMOS BRINCAR DE INVENTAR!
TINHAM TODOS MIL IDEIAS E FALAVAM SEM PARAR.
FOI AÍ QUE O MAIORAL DA TURMA FALOU MAIS ALTO QUE TODOS, QUE OUVIRAM COM ATENÇÃO:
— NÓS SOMOS TODOS OS DEDOS DE CADA UMA DAS MÃOS. ENTÃO...
... POR QUE FICAR PREOCUPADOS EM SABER DE QUE BRINCAR?
É SÓ PARAR PRA PENSAR: NÓS TODOS JUNTOS, JUNTINHOS, DO MAIOR AO MAIS MIÚDO...
PODEMOS BRINCAR DE TUDO!

ZIRALDO. **OS DEZ AMIGOS**. 2. ED. SÃO PAULO: MELHORAMENTOS, 2005. P. 19-22.

Ouça a leitura que o professor fará.

Conte quantos dedos há em cada uma das mãos e faça risquinhos para representar essa quantidade.

Depois, conte quantos dedos há nas duas mãos juntas. Escreva no quadro o número que corresponde à quantidade total de dedos.

CONTANDO NA FEIRA

Seu Joaquim é feirante e vende ovos em sua barraca. Conte a quantidade de ovos que há em cada caixa.

▼ Em qual das caixas não há ovos? Que número representa a ausência de quantidades?

Conte os ovos novamente e registre as quantidades nos quadrinhos.

Destaque a página 193 do encarte e cubra o número **0** com cola colorida.

BARRACA DE FRUTAS

Observe as caixas de frutas da barraca de Emília.

▼ Elas estão **cheias** ou **vazias**?

Conte as frutas e escreva nos quadrinhos a quantidade de cada variedade.

NÚMEROS E GOSTOSURAS

BOLO DE LIQUIDIFICADOR

INGREDIENTES:

- 3 🥚🥚🥚;
- 2 🥄🥄 DE MARGARINA;
- 2 ☕☕ DE AÇÚCAR;
- 2 ☕☕ DE FARINHA;
- 1 ☕ DE LEITE;
- 1 🥄 DE FERMENTO.

LUIZ LENTINI

MODO DE PREPARO

1. BATA NO LIQUIDIFICADOR OS OVOS, O AÇÚCAR E A MARGARINA.
2. ACRESCENTE OS DEMAIS INGREDIENTES E BATA NOVAMENTE.
3. DESPEJE A MASSA EM UMA FORMA UNTADA E LEVE AO FORNO POR 40 MINUTOS.

Os números também estão presentes em receitas culinárias. Acompanhe a leitura do professor e preste atenção aos números.

▼ Que números aparecem na receita?

Marque com um **X** o **maior** número que aparece na receita. Depois, circule com a mesma cor os números que se repetem nela. Por fim, desenhe ao lado da receita como você imagina que ficou esse bolo.

CONTANDO OS PONTOS

JÚLIA ☐   DAVI ☐

Júlia e Davi gostam de jogar pingue-pongue na hora do recreio.
▼ Quem está vencendo o jogo? Como podemos saber?
▼ Há alguma outra forma de marcar os pontos? Qual?

Conte os pontos de cada jogador e registre os números nos quadrinhos. Depois, circule a criança que está vencendo o jogo.

▶ DIAS DA SEMANA

DOMINGO

SEGUNDA-FEIRA

TERÇA-FEIRA

QUARTA-FEIRA

QUINTA-FEIRA

SEXTA-FEIRA

SÁBADO

▼ Você sabe quantos dias tem uma semana?
Observe o calendário, conte e escreva no quadrinho o número que representa essa quantidade.

▼ Que dia da semana é hoje?
Ouça o nome dos dias da semana que o professor lerá e pinte aquele em que estamos hoje.

▼ De qual dia da semana você mais gosta?

ORGANIZANDO A SEMANA

1º DIA	2º DIA	3º DIA	4º DIA
DOMINGO			

5º DIA	6º DIA	7º DIA

▼ Quais são os dias da semana?
▼ Eles são organizados de alguma forma?

Observe os quadros para descobrir a resposta. Depois, copie da lousa o nome dos dias da semana e faça um desenho para representar algo que você faz em cada um desses dias. Observe o modelo.

▶ TEMPO: ANTES E DEPOIS

SÁBADO SEGUNDA-FEIRA QUINTA-FEIRA

DOMINGO TERÇA-FEIRA SEXTA-FEIRA QUARTA-FEIRA

▼ Qual é o primeiro dia da semana? E o último?
Observe as atividades que Paulo realiza durante a semana e numere-as de acordo com a ordem dos dias da semana.

▼ Você também faz alguma das atividades mostradas por Paulo?

UNIDADE 2

BRINCAR E APRENDER MATEMÁTICA

NÚMEROS ESCONDIDOS

▼ Quais números você identifica na figura?
Usando canetinha hidrocor, circule os números que estão escondidos na cena. Depois, diga o nome dos números que você encontrou e copie-os em uma folha à parte.

▶ BRINCO E APRENDO

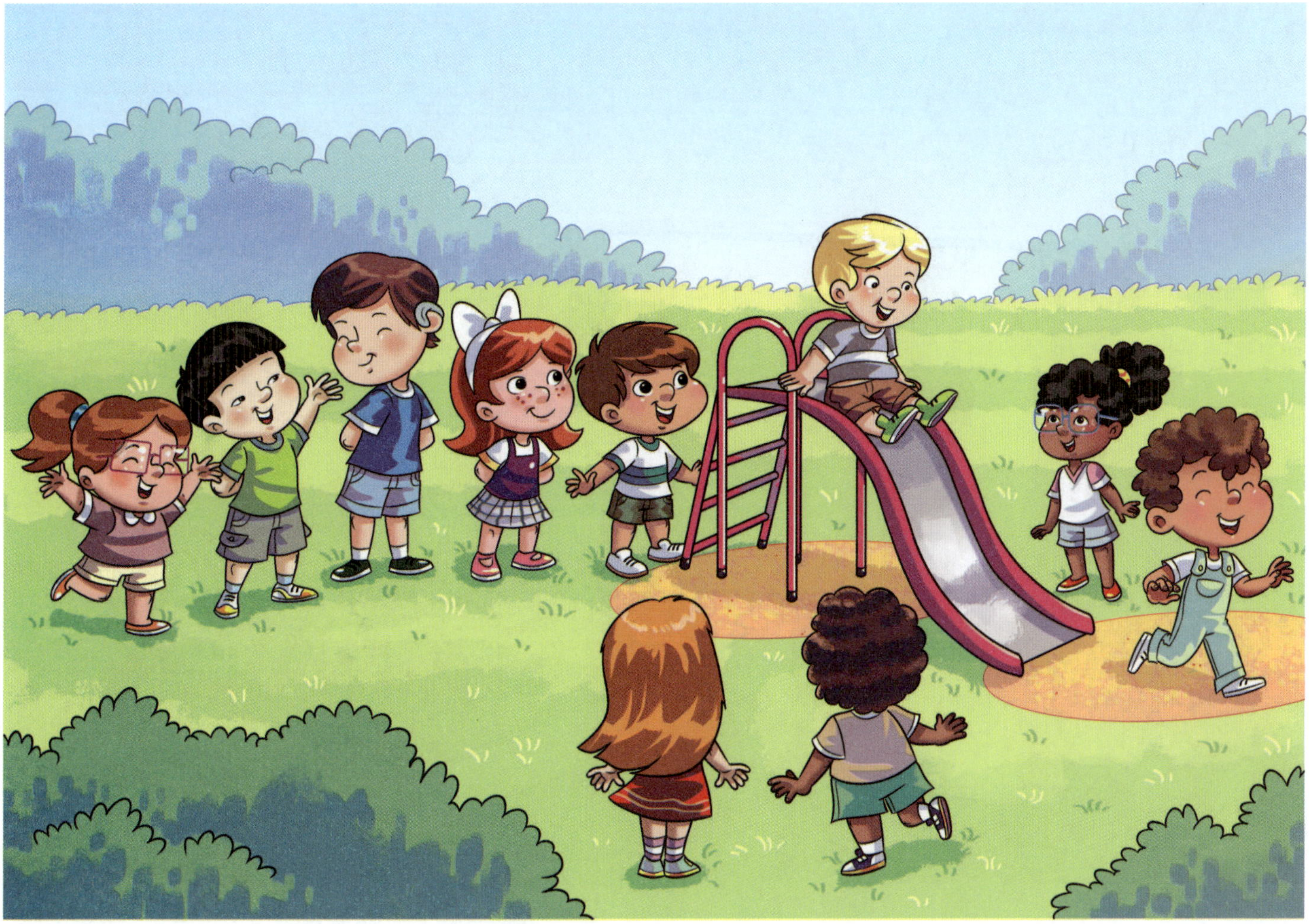

| 8 | 9 | 10 | 11 |

- ▼ Você conhece o brinquedo que aparece na imagem?
- ▼ Já brincou em um brinquedo desses?
- ▼ Quantas crianças estão na fila para escorregar?
- ▼ Quantas já escorregaram?

Conte as crianças e pinte o quadrinho com o número que representa a quantidade total delas.

O QUE EU VEJO?

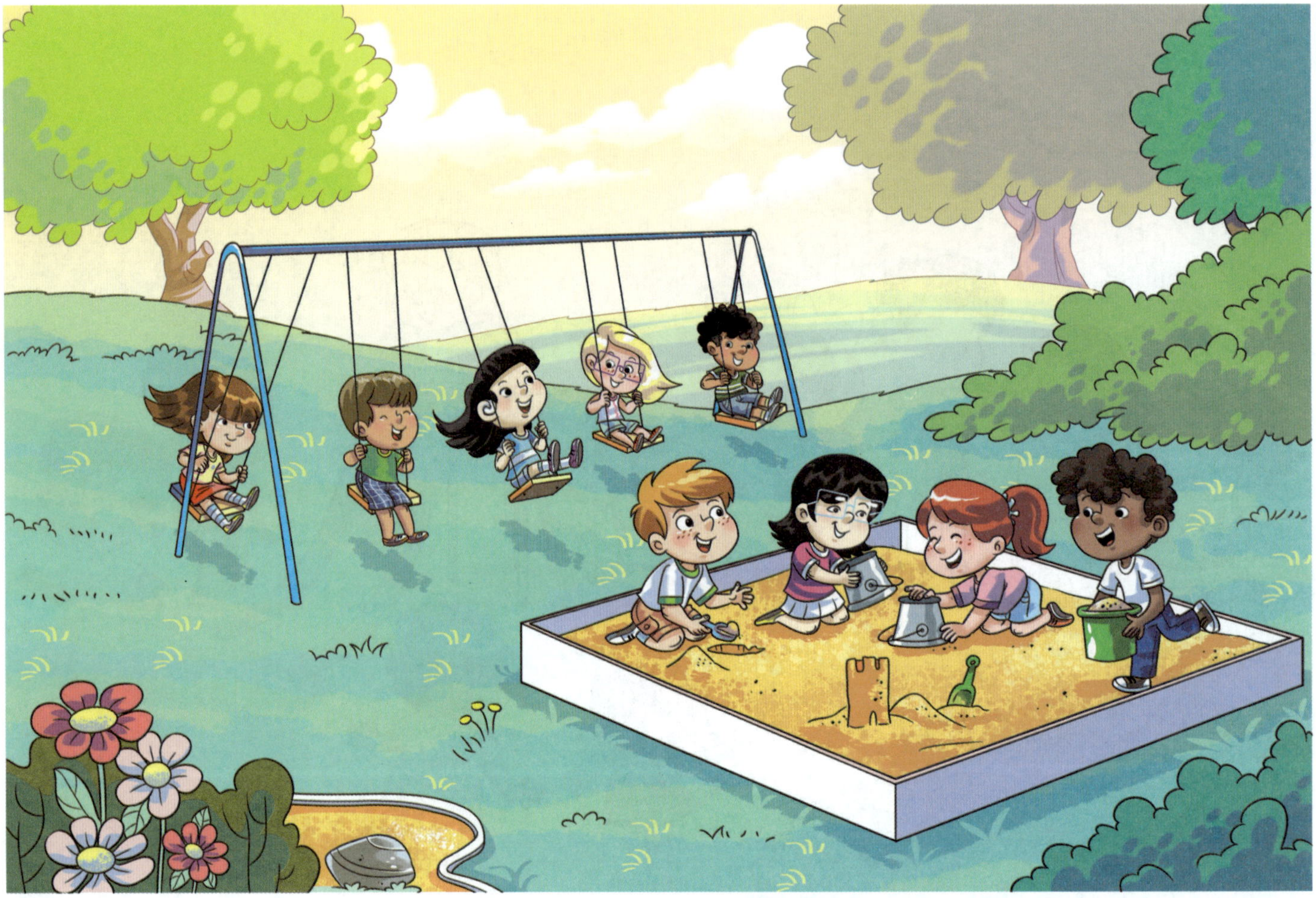

▼ O que você vê na cena?
▼ Você acha que as crianças estão se divertindo?
▼ Quantas crianças estão brincando ao todo?
  Conte as crianças e registre a quantidade desenhando bolinhas no quadro.
▼ Em qual brincadeira há mais crianças? Quantas a mais?

BRINCAR E CONTAR...

GALINHA CHOCA

— A GALINHA CHOCOU!
— NÃO PODEMOS DIZER NEM PRA VOVÓ, NEM PRO VOVÔ.

PARLENDA.

SE LIGUE NA REDE

Assista ao clipe da música **Galinha magricela** no *link* a seguir (acesso em: 12 jan. 2020):
▼ www.dailymotion.com/video/x2wctnw

Siga as orientações do professor e brinque de "galinha choca" com os colegas. Depois, faça um desenho para representar a brincadeira.

▼ Quantas crianças participaram da brincadeira? Quantas viraram galinha choca?
▼ Como a turma se posicionou para brincar?
▼ Que forma geométrica o grupo formou quando todos se sentaram?

QUAL É O NÚMERO?

ILUSTRAÇÕES: LUIZ LENTINI

NÚMERO ESTIMADO:    NÚMERO REAL:

▼ Você consegue saber o número de ovos que aparece na imagem sem contá-los?

Estime a quantidade e a escreva no quadro **verde**. Depois, conte os ovos e registre o número encontrado no quadro **vermelho**.

▼ O número que você estimou é igual ao que você descobriu quando fez a contagem? Qual deles é **maior**?

▶ NÚMERO E QUANTIDADE

A GALINHA BOTA OVO
BOTA OVO COM CARINHO.
ELA ESPERA BEM CONTENTE
A CHEGADA DOS PINTINHOS.

QUADRINHA ESCRITA ESPECIALMENTE PARA ESTA OBRA.

LUIZ LENTINI

▼ O que você vê na cena?

Ouça a quadrinha que o professor lerá e pinte a cena. Depois, conte os pintinhos e escreva no quadrinho o número que representa essa quantidade.

▼ Quantas galinhas estão em cima do poleiro?

ADIVINHE SE PUDER!

O QUE É, O QUE É?

TEM DEZ EM CIMA
E DEZ EMBAIXO.

ADIVINHA.

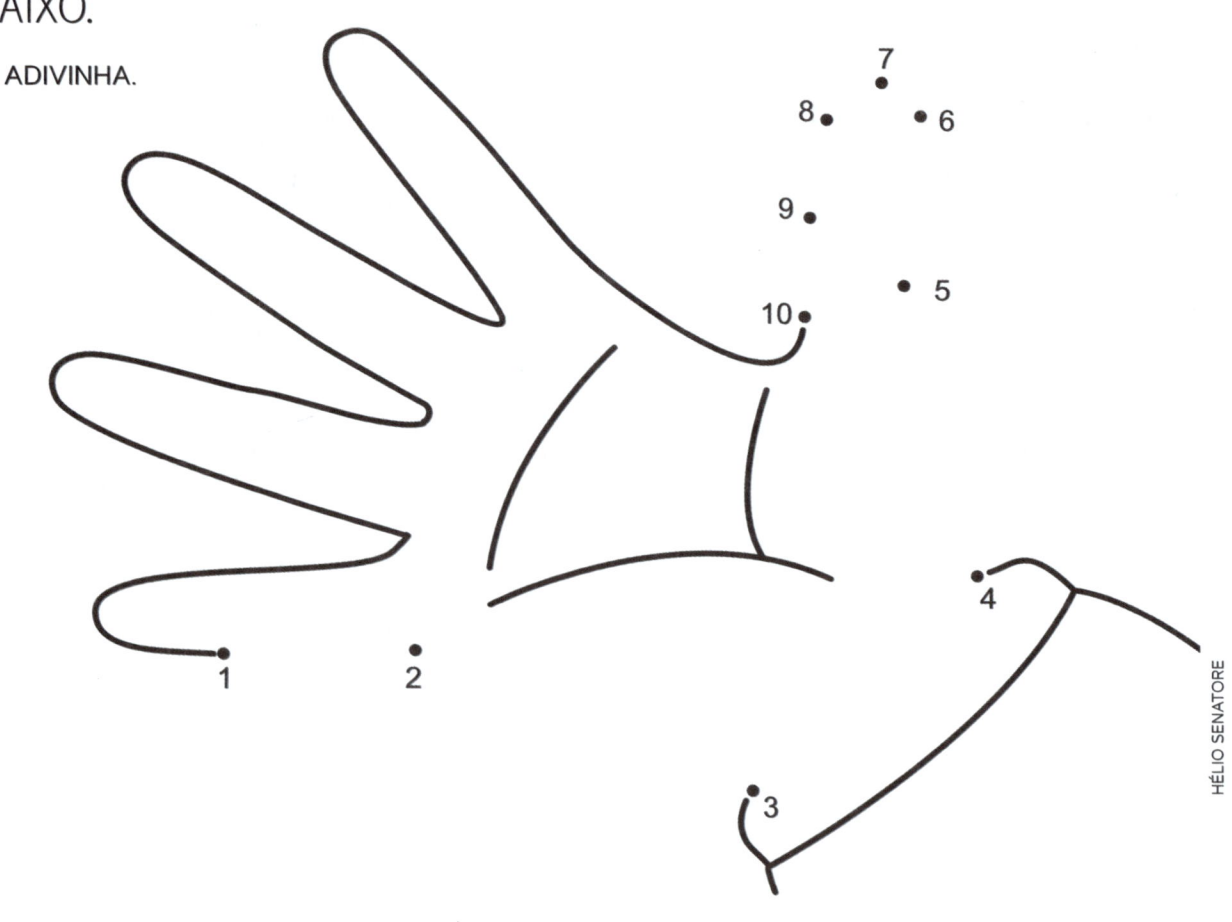

HÉLIO SENATORE

Ouça a leitura que o professor fará e ligue os pontos seguindo a **ordem crescente** dos números para descobrir a resposta da adivinha.

Depois, passe tinta colorida nos dedos de sua mão esquerda e carimbe-os na figura formada.

▼ Quantos dedos você tem em cada mão?

Agora, escreva no quadro, em **ordem decrescente**, os números que você ligou.

DEZENA

HOJE COLEI 1 DEZENA DE FIGURINHAS.

1 DEZENA DE MAÇÃS POR 5 REAIS!

TENHO 1 DEZENA DE DEDOS NAS MÃOS.

HOJE VENDI 1 DEZENA DE SORVETES.

1 DEZENA = ⬜ = ⬜

Observe as imagens e, com a ajuda do professor, leia as falas dos personagens.

▼ O que as falas deles têm em comum? A qual quantidade eles se referem?
▼ Você sabe o que significa **1 dezena** de elementos?

Faça risquinhos no quadro **maior** para representar **1 dezena** de elementos. Depois, escreva o número correspondente a essa quantidade no quadro **menor**.

▶ OLHA O PICOLÉ, QUEM QUER?

EDNA PREPAROU PICOLÉS PARA O ANIVERSÁRIO DE CAMILA. ELA COLOCOU **10** PICOLÉS NA FORMA. DEPOIS, COM A MISTURA QUE SOBROU, FEZ **MAIS 1**. QUANTOS PICOLÉS ELA FEZ AO TODO?

Desenhe os picolés, conte-os e registre a quantidade total. Depois, conte quantas crianças foram à festa e marque um **X** naquelas que ganharam um picolé.

▼ Quantas crianças foram à festa?
▼ Quantas crianças ficaram sem picolé?
▼ Quantos picolés Edna terá de fazer a mais?

COMPLETE A TRILHA

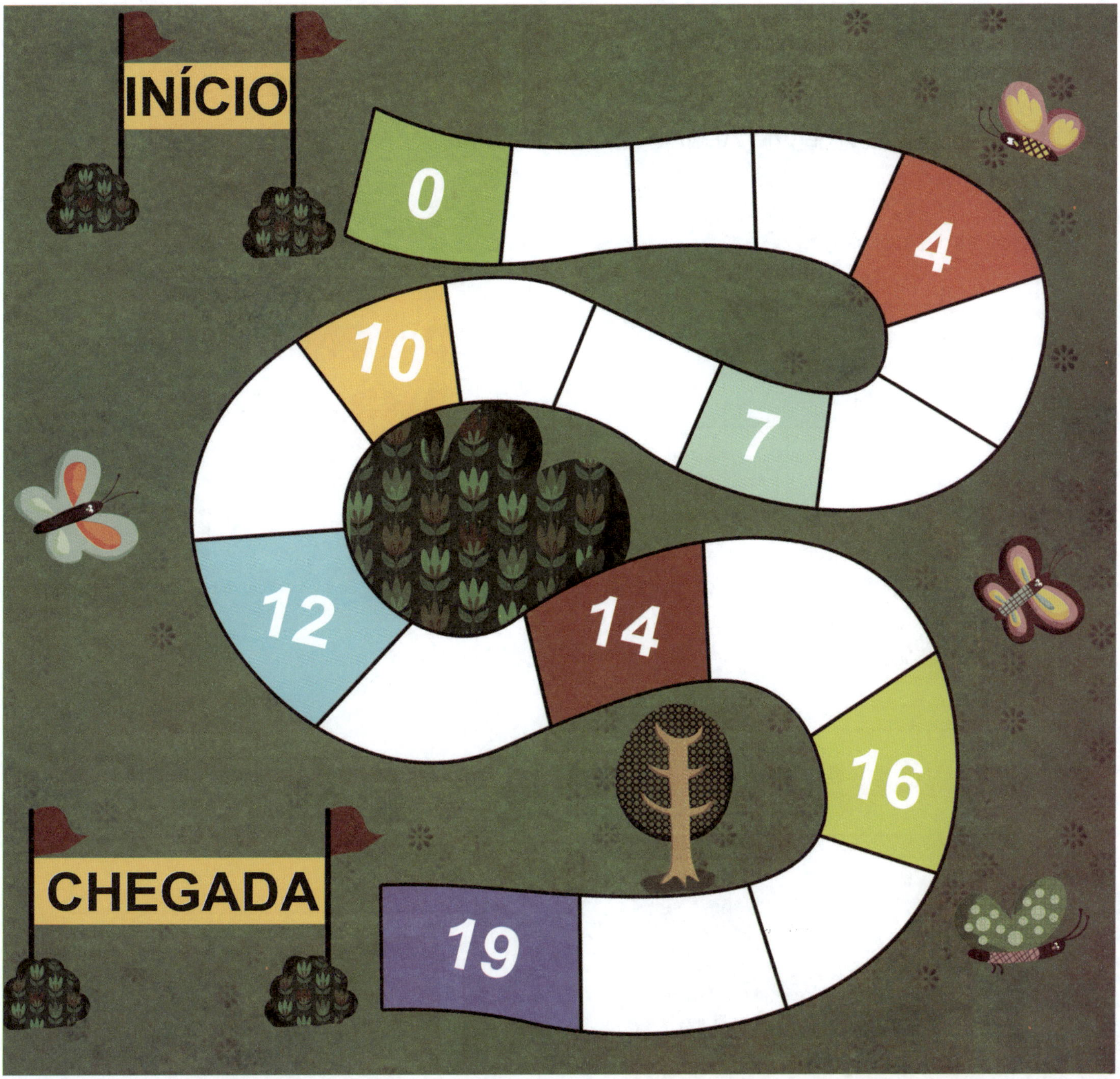

▼ Você sabe contar do **0** ao **19**?
▼ Que números faltam nessa trilha?

Observe a imagem e, com a ajuda do professor, escreva os números que estão faltando.

Depois, faça um **X** no número que vem **antes** do **11** e circule aquele que vem **depois** do **11**.

▶ **DESAFIO!**

QUEM SOU?

SOU UM NÚMERO MAIOR DO QUE **10** E MENOR DO QUE **20**.
SOU FORMADO POR DOIS ALGARISMOS IGUAIS.

ADIVINHA.

▼ Quais são os números entre **10** e **20**?
▼ Qual deles é formado por dois algarismos iguais?
   Leia a adivinha com a ajuda do professor, descubra qual é o número e escreva-o no quadrinho.
   Depois, recorte figuras de jornais e revistas e cole-as na página para representar essa quantidade.

▶ SEQUÊNCIA NUMÉRICA

1, 2, 3
4, 5, 6
7, 8, 9
PARA 12 FALTAM 3.

PARLENDA.

Leia a parlenda e identifique os números que aparecem nela. Depois, descubra os números que faltam para chegar ao **12** e registre-os nos quadrinhos **azuis**.

Em seguida, escreva a sequência de **0** a **12** nos quadrinhos **vermelhos**.

▼ Que número vem **depois** do **12**?

ADIVINHE O QUE É

O QUE É? O QUE É?
UMA CASINHA SEM TRANCA E SEM JANELA.

O QUE É? O QUE É?
UMA CAIXA PEQUENINA, MAS QUE PODE REBOLAR. TODOS A SABEM ABRIR, NINGUÉM A SABE FECHAR.

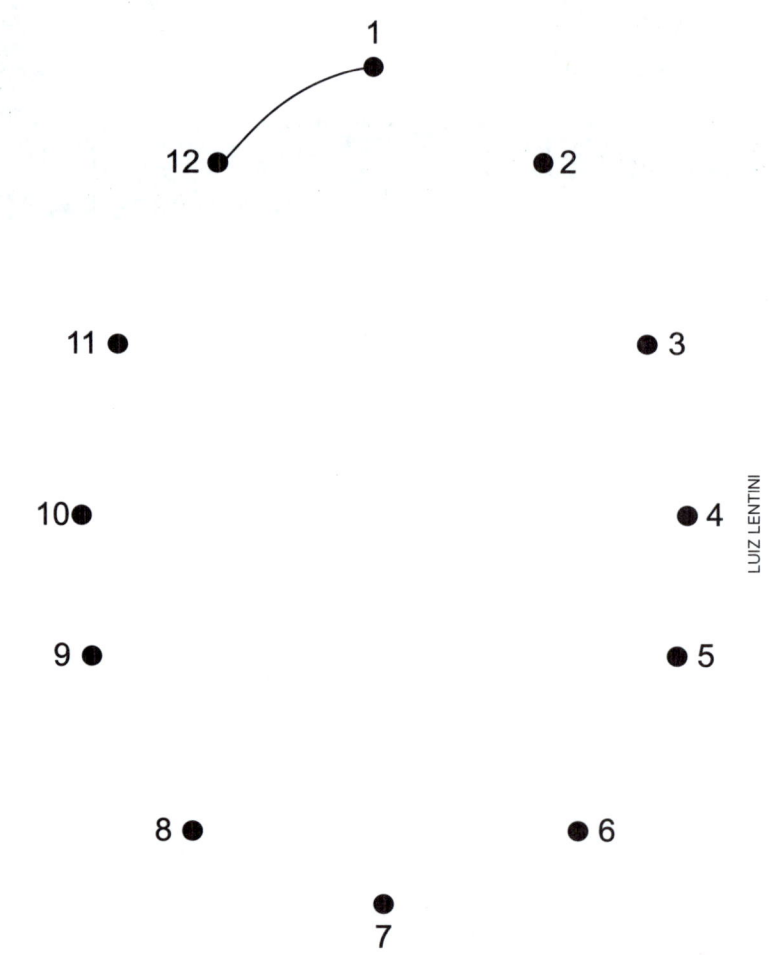

ADIVINHAS.

▼ Você gosta de brincar de adivinhação?
  Leia as adivinhas com a ajuda do professor. Dica: elas têm a mesma resposta. Para descobri-la, ligue os pontos de **1** a **12**.
▼ Que tal desafiar um colega a responder a uma adivinha?

▶ DÚZIA

QUANDO TEMOS **12 ELEMENTOS** PODEMOS DIZER QUE TEMOS **UMA DÚZIA**.

▼ Você conhece esses alimentos? Onde podemos comprá-los? Como eles costumam ser vendidos?

Conte a quantidade de cada alimento e registre os números nos quadrinhos.

▼ Que número você encontrou?

▼ Você sabe o que significa **1 dúzia** de elementos?

TAREFA PARA CASA 3

▶ BRINQUE E SE DIVIRTA

CADÊ O GRILO?

AS CRIANÇAS FORMAM UMA FILA.
A PRIMEIRA CRIANÇA INICIA A BRINCADEIRA, PERGUNTANDO:
— **CADÊ O GRILO?**
A FILA RESPONDE:
— **ESTÁ LÁ ATRÁS.**
A PRIMEIRA CRIANÇA DIZ:
— **O QUE É QUE FAZ?**
A FILA RESPONDE:
— **CORRE ATRÁS.**
ENTÃO A PRIMEIRA CRIANÇA CORRE ATRÁS DA ÚLTIMA DA FILA, QUE É O "GRILO", E TENTA PEGÁ-LA.

O GRILO SAI CORRENDO E TENTA CHEGAR AO PRIMEIRO LUGAR DA FILA. SE FOR PEGO, DEVE SE SENTAR.

A BRINCADEIRA CONTINUA COM A PRIMEIRA CRIANÇA DA FILA FAZENDO AS PERGUNTAS NOVAMENTE.

ANDRÉ AGUIAR

▼ Você já brincou de "cadê o grilo"?
   Acompanhe a leitura do professor e descubra como se brinca. Depois, vá ao pátio da escola e divirta-se com os colegas.
▼ Gostou de brincar dessa maneira?
   Escreva no quadro o número de crianças da turma que participaram da brincadeira.

ORGANIZANDO A FILA

1. PINTE A ROUPA DA PRIMEIRA CRIANÇA.
2. MARQUE COM UM **X** A ÚLTIMA CRIANÇA.
3. CIRCULE A CRIANÇA QUE ESTÁ NA 12ª POSIÇÃO.
4. ESCREVA A POSIÇÃO QUE O MENINO DE BONÉ OCUPA. _____

▼ Você precisou formar fila para brincar de "cadê o grilo"?
Observe essa fila de crianças e, com a ajuda do professor, numere-as indicando a ordem que elas ocupam. Depois, faça o que se pede acima.
▼ Em sua opinião, para que servem as filas?
Desenhe no quadro uma situação em que você precisou entrar em uma fila.

AS MEDIDAS DE CADA UM

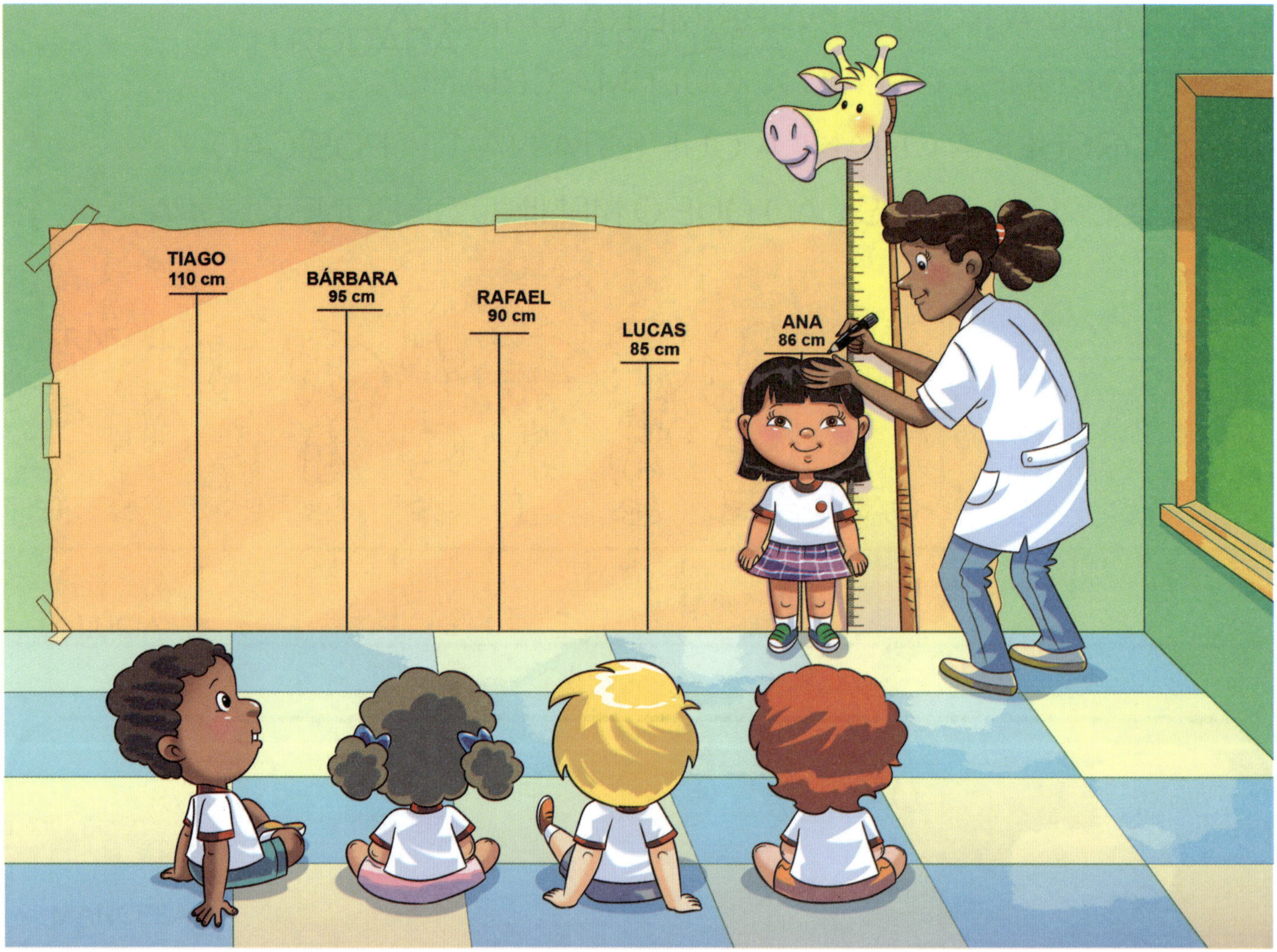

EU ME ACHO   ALTO ☐   BAIXO ☐.

MINHA ALTURA É _____.

Observe os nomes e as medidas que aparecem na cena.

Com canetinha hidrocor, circule a altura da criança mais **alta** e faça um **X** na altura da criança mais **baixa**.

▼ Você se acha **alto** ou **baixo**?

Pinte o quadrinho que representa sua reposta. Com ajuda do professor, meça a sua altura e escreva-a acima.

ALTO E BAIXO

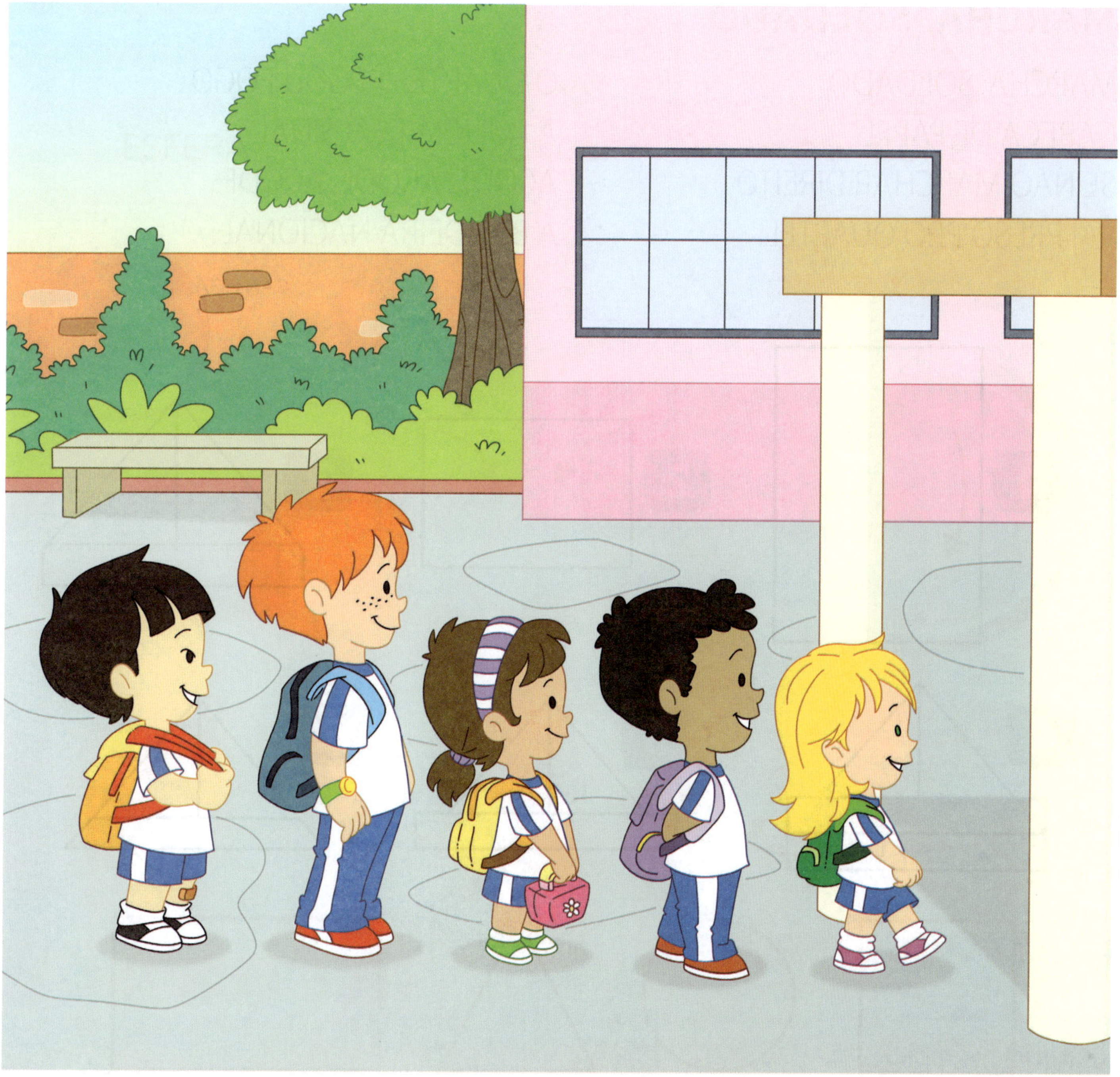

Observe a fila. Circule de **vermelho** a criança mais **alta** e de **verde** a mais **baixa**.

▼ Em sua turma há alguém mais **alto** do que você? E alguém mais **baixo**?

Dobre uma folha sulfite ao meio e desenhe, do lado esquerdo, o colega mais **alto** da turma e, do lado direito, o colega mais **baixo**.

TAREFA PARA CASA 4

▶ VAMOS CANTAR E BRINCAR

MARCHA, SOLDADO

MARCHA, SOLDADO,
CABEÇA DE PAPEL
SE NÃO MARCHAR DIREITO
VAI PRESO PRO QUARTEL.

O QUARTEL PEGOU FOGO
A POLÍCIA DEU SINAL
ACODE, ACODE, ACODE
A BANDEIRA NACIONAL.

CANTIGA.

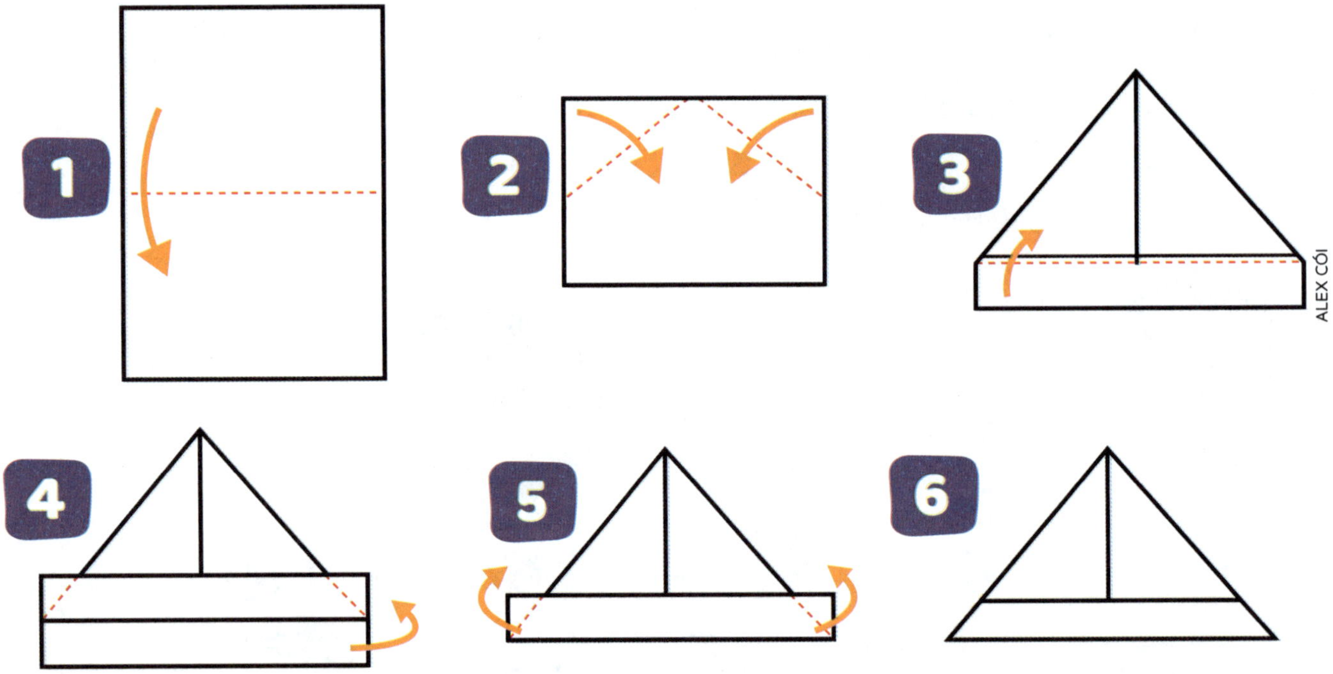

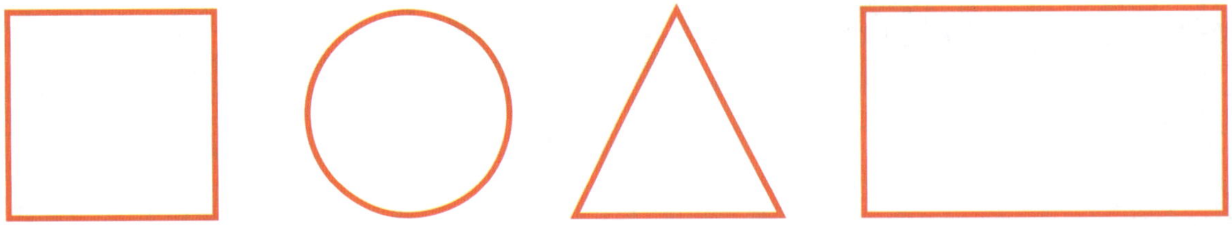

Com os colegas e o professor, faça uma fila e brinquem de "marcha, soldado" enquanto cantam a cantiga.

Depois, siga o passo a passo e faça a dobradura de um chapéu.

▼ Com que forma geométrica se parece o chapéu que você fez? Pinte para responder.

MONTANDO FIGURAS

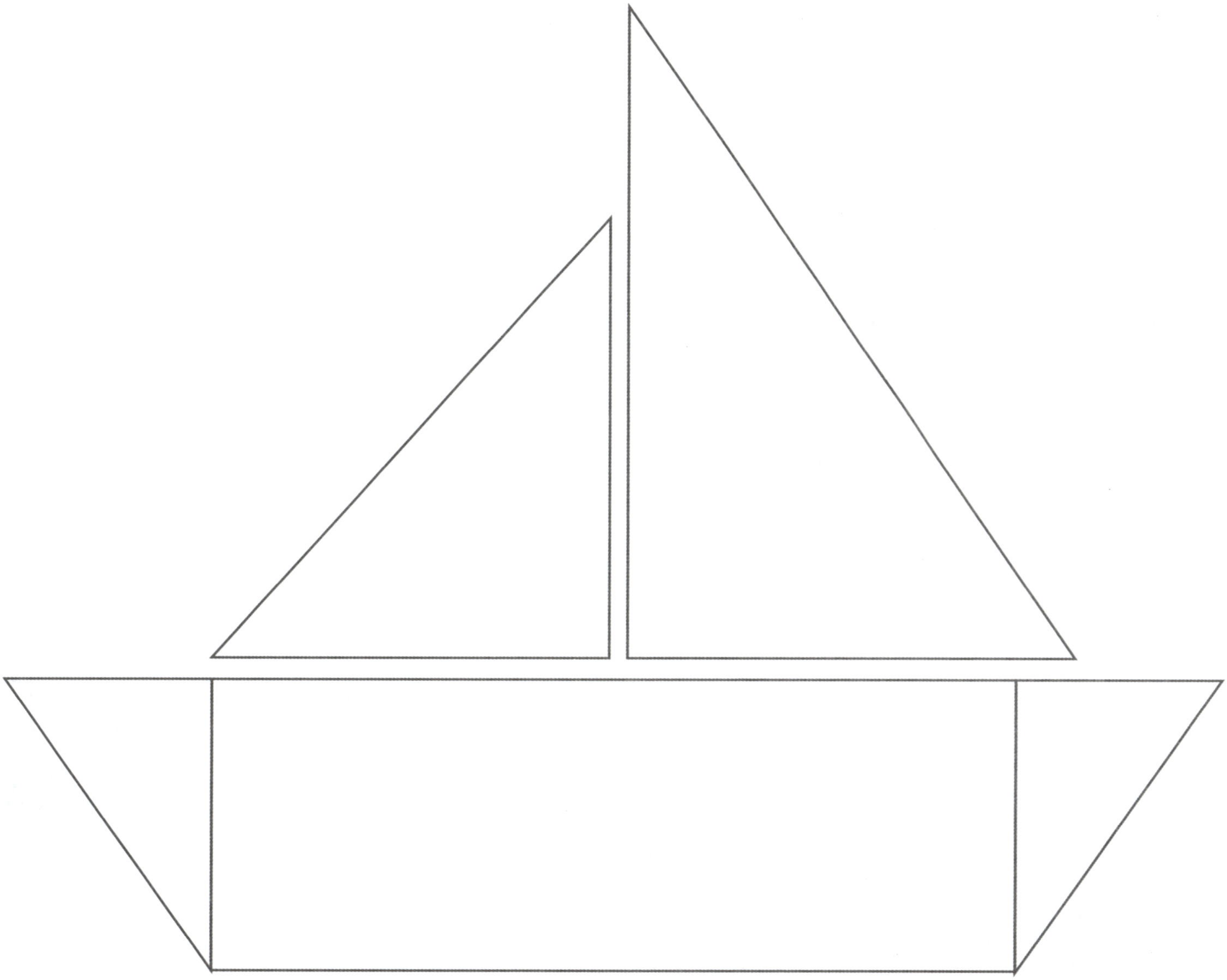

Destaque as formas geométricas da página 183 do encarte e cole-as nos locais indicados nesta página. Fique atento ao tamanho e à posição das formas.

▼ Que figura você montou?

▼ Quais formas geométricas foram usadas para formar o barquinho?

▶ SOLTE A IMAGINAÇÃO!

Agora é sua vez de inventar figuras usando formas geométricas!

Destaque as formas da página 195 do encarte, observe-as e cole-as nesta página para montar uma figura. Você pode usar todas as peças ou apenas algumas.

▼ Que figura você criou?
▼ Quantas formas você utilizou?

QUANTOS VELEIROS?

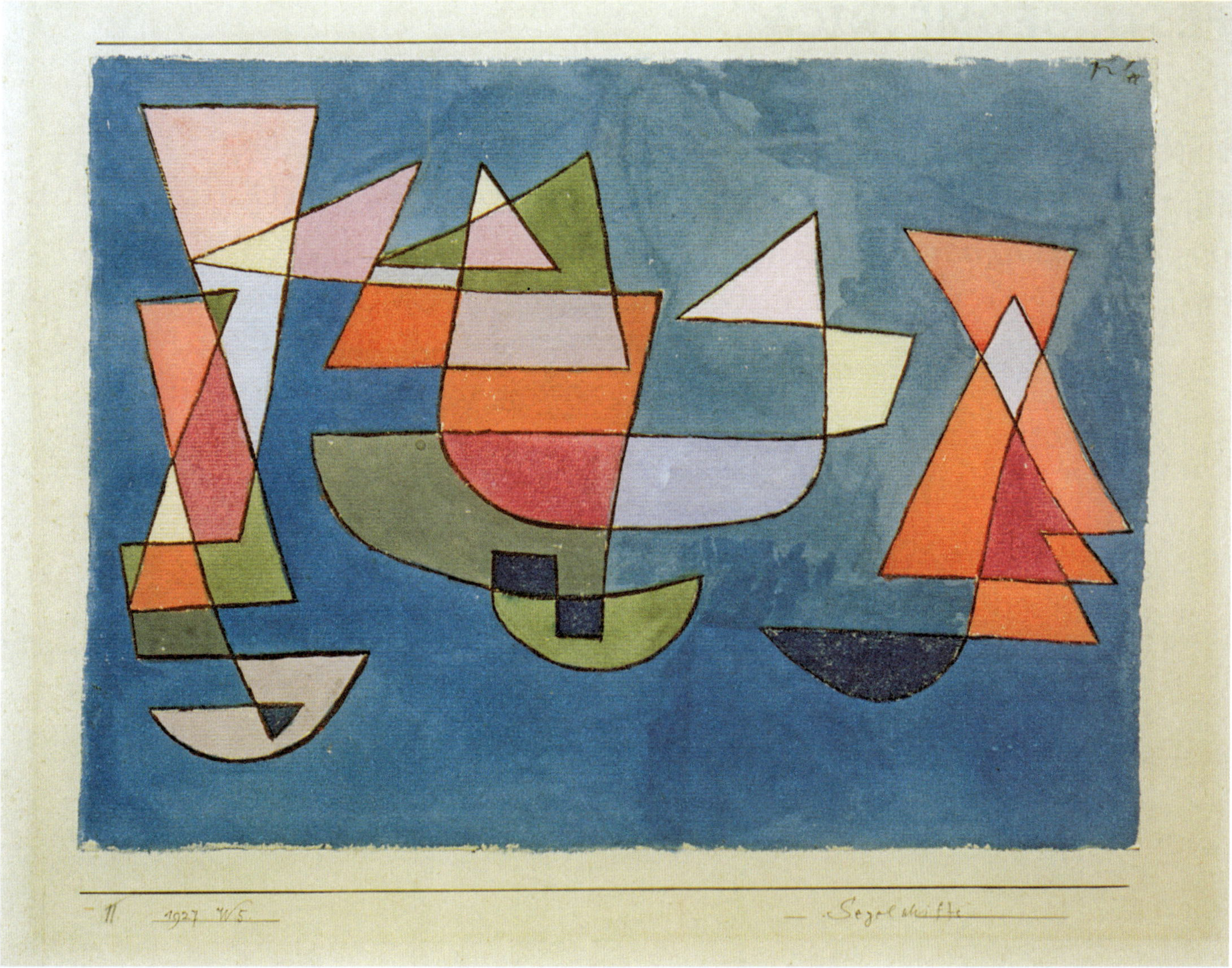

PAUL KLEE. **VELEIROS**, 1927. AQUARELA, 22,8 CM × 30,2 CM.

Observe a tela do artista Paul Klee.
▼ Que figuras estão representadas nessa obra?
▼ Quais formas geométricas você consegue identificar?
   Conte e registre no quadrinho a quantidade de veleiros que aparecem na tela. Depois, desenhe ao lado dele as formas geométricas que você identificou.
▼ Você conhece outro artista que utiliza formas geométricas em suas obras de arte?

51

UMA FESTA DIFERENTE

FESTA GEOMÉTRICA

PARA O BAILE DO QUADRADO
NENHUM CÍRCULO FOI CONVIDADO.
TEM QUADRADA, QUADRADINHO E UM MONTE DE QUADRADOS
PORQUE NESSA FESTA SÓ ENTRA QUEM TEM O MESMO TAMANHO NOS QUATRO LADOS. [...]

RENATA BUENO. **POEMAS PROBLEMAS**. SÃO PAULO: EDITORA DO BRASIL, 2012. P. 35.

▼ Qual é o nome da festa do texto?
   Ouça a leitura do professor. Depois, desenhe com canetinha hidrocor quadrados de diferentes tamanhos.
▼ Que outras formas geométricas você conhece?
▼ Qual forma geométrica não foi convidada para o baile de acordo com o texto?

FORMAS AO MEU REDOR

NOME	FORMAS IDENTIFICADAS
	□ ○ △ ▭
	□ ○ △ ▭
	□ ○ △ ▭
	□ ○ △ ▭
	□ ○ △ ▭

▼ Você consegue identificar formas geométricas na escola que frequenta?

Com os colegas e o professor, faça um passeio pelos espaços da escola para identificar elementos que se assemelhem a formas geométricas. Depois, complete o quadro escrevendo da maneira que souber o nome do elemento e pintando a forma geométrica identificada nele.

UNIDADE 3
CURIOSAS COLEÇÕES

1. SELOS
2. BOLINHAS DE GUDE
3. CANETAS
4. DISCOS DE VINIL
5. LIVROS

BICHINHOS DE BORRACHA

- Você sabe o que é um álbum de figurinhas?
- Já montou algum? Destaque as figurinhas da página 185 do encarte e cole-as de acordo com a numeração para completar o álbum.
- O que você descobriu?
- Você já tinha visto alguma destas coleções?
- Quantas figurinhas você colou?

ALEXANDRE MATOS

JOGOS

ABRIDORES DE GARRAFA

CARRINHOS

BICHINHOS DE PELÚCIA

55

▶ MINHA COLEÇÃO

▼ Se você fosse um colecionador, o que colecionaria?
Defina um tema, recorte imagens de jornais e revistas para representar a sua coleção e cole-as na página.

▼ Quantas figuras você colou?
Escreva no quadrinho o número que representa essa quantidade.

COLEÇÃO DE FIGURINHAS

Observe as coleções de figurinhas e identifique o tema de cada uma. Depois, conte quantas figurinhas há em cada coleção e ligue-as ao número que representa essa quantidade.

▼ Que coleção tem **menos** figurinhas?

TAREFA PARA CASA 5

▶ OLHE QUANTA FIGURINHA!

NO RECREIO DA ESCOLA, PEDRO TROCOU FIGURINHAS COM UM COLEGA. ELE CONSEGUIU **MAIS 3** FIGURINHAS NOVAS. QUANTAS FIGURINHAS PEDRO TEM AGORA? DESENHE PARA REPRESENTAR.

Observe a coleção de cada criança, conte as figurinhas e escreva a quantidade no quadrinho. Depois, circule a criança que tem **mais** figurinhas.

Em seguida, resolva a situação-problema apresentada.
▼ Com quantas figurinhas Pedro ficou?
▼ Com quem Pedro se igualou na quantidade de figurinhas?

QUE FORMA TÊM AS FIGURINHAS?

Observe novamente as figurinhas da página anterior e preste atenção ao formato delas.
▼ Com que forma geométrica elas se assemelham?
　Recorte de jornais e revistas imagens que tenham a forma semelhante à das figurinhas e cole-as na página. Depois, conte quantas imagens você colou e registre o número no quadrinho.

▶ BOLINHAS DE GUDE!

GUDE

BOLINHAS DE GUDE,
BRINCADEIRA COLORIDA,
QUE JUNTA AMIGOS.
QUEM DÁ A PARTIDA?

LÁ VEM MOLECADA,
TRAZ A COLEÇÃO
PRA COMPETIÇÃO.
[...]

MÉRCIA MARIA LEITÃO.
FOLCLORICES DE BRINCAR.
SÃO PAULO: EDITORA DO BRASIL,
2009. P. 18.

Acompanhe a leitura do professor.
▼ Sobre o que fala o poema?
Destaque as imagens da página 183 do encarte e forme uma coleção de bolinhas de gude.
▼ Quantas bolinhas tem essa coleção?
Conte-as e registre o número no quadrinho.

JUNTE E CONTE AS BOLINHAS

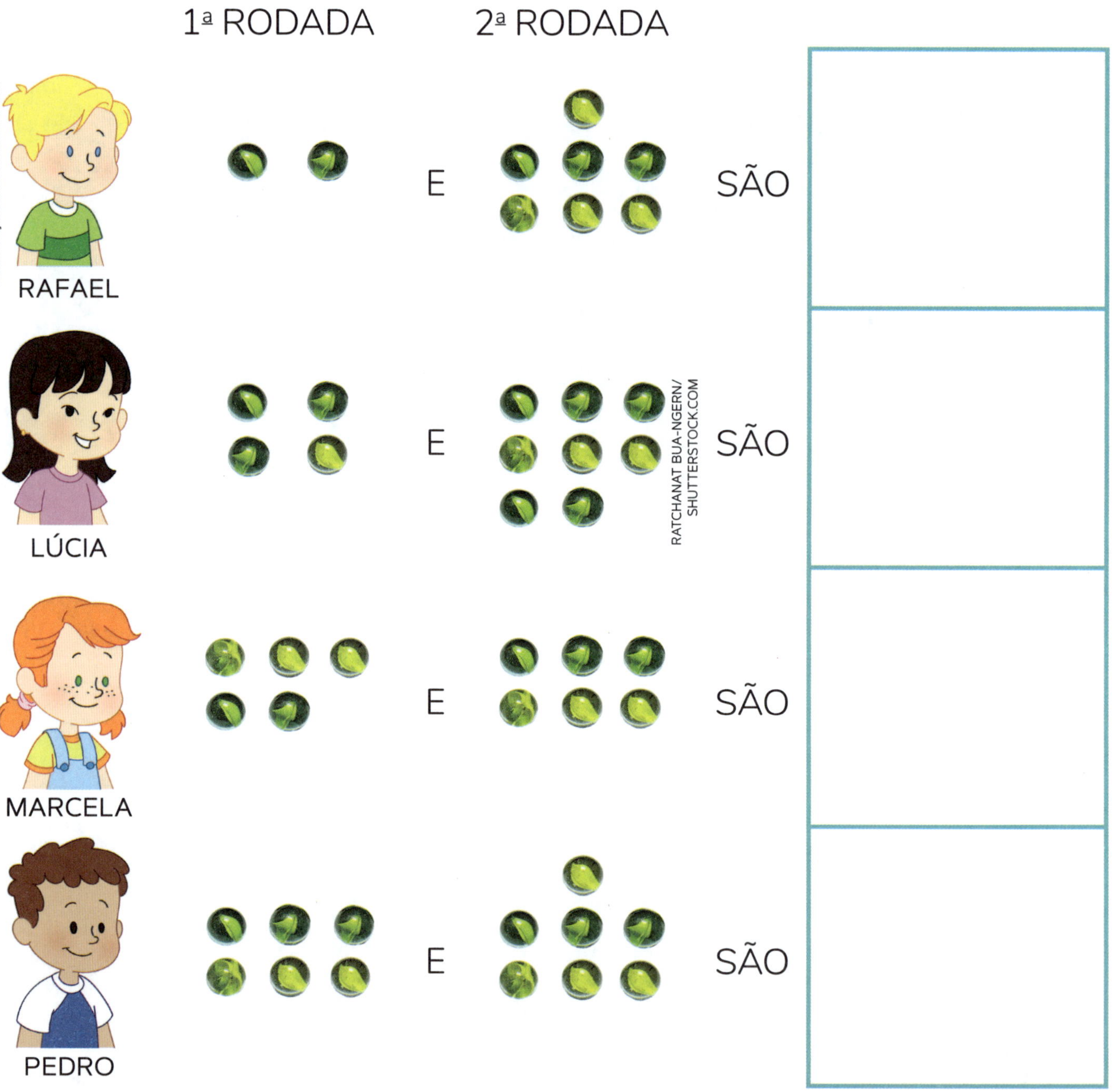

	1ª RODADA		2ª RODADA	

RAFAEL: 2 E 7 SÃO

LÚCIA: 4 E 9 SÃO

MARCELA: 5 E 6 SÃO

PEDRO: 6 E 7 SÃO

▼ Você já brincou de bolinha de gude? Sabe como se brinca? As crianças estão brincando com bolinhas de gude.

▼ Com quantas bolinhas cada criança ficou após a 2ª rodada? Para descobrir, junte as quantidades da 1ª e da 2ª rodadas e faça bolinhas para representar o total.

EM FORMA DE BOLA

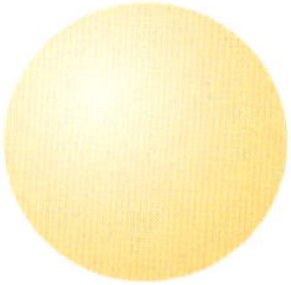

ESFERA 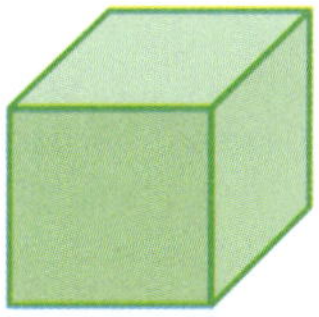   CUBO 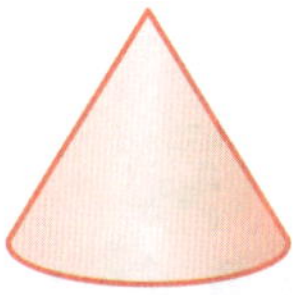   CONE

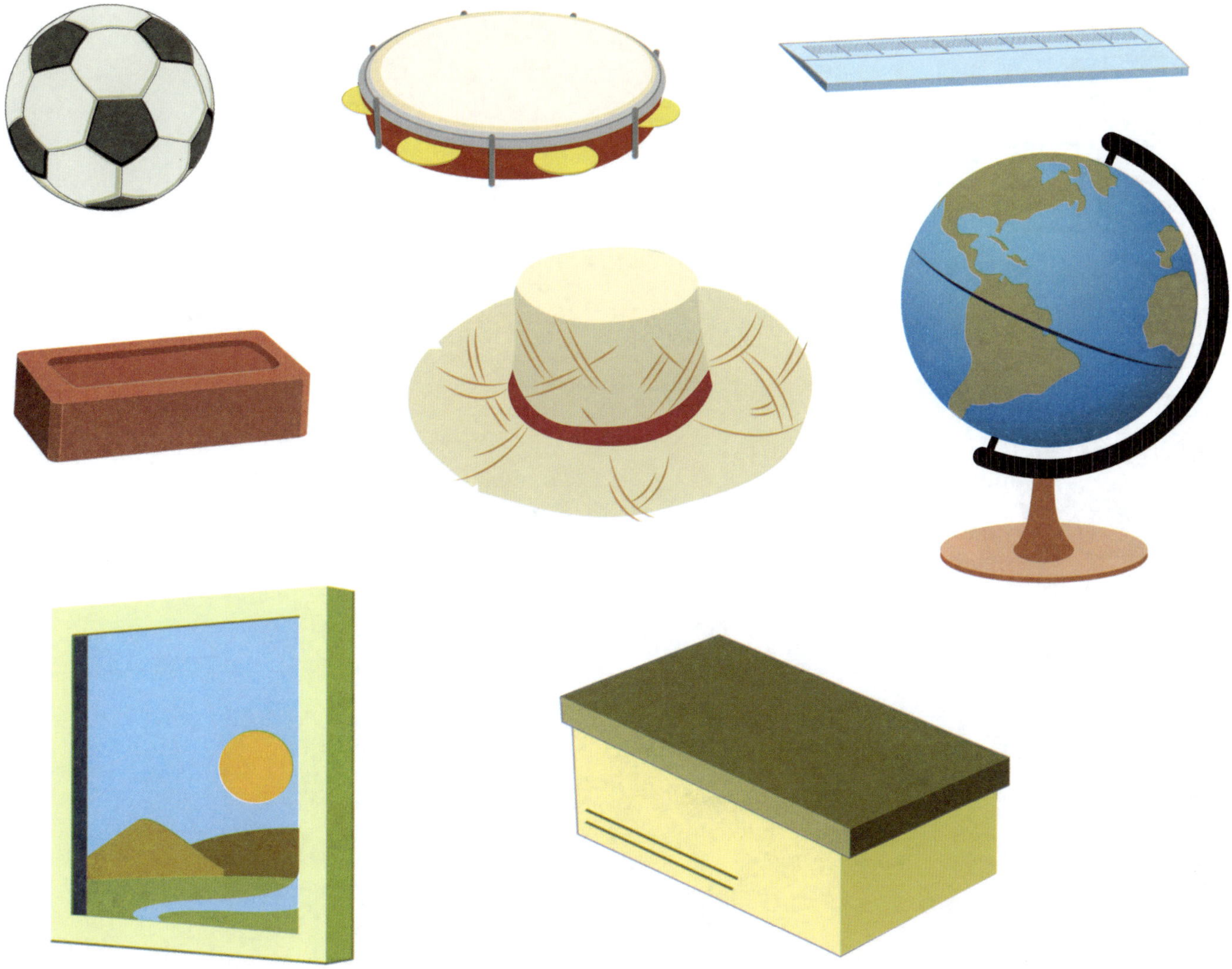

- ▼ Com que forma geométrica uma bola de gude se assemelha? Localize-a entre as formas geométricas apresentadas e marque-a com um **X**.
- ▼ Que outros objetos têm a forma de esfera e rolam? Encontre-os nas imagens apresentadas e circule-os de **vermelho**.

ILUSTRAÇÕES: LUIZ LENTINI

▶ QUAL É A COLEÇÃO?

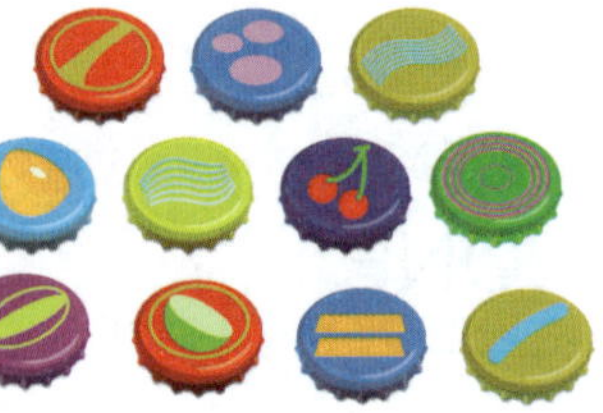

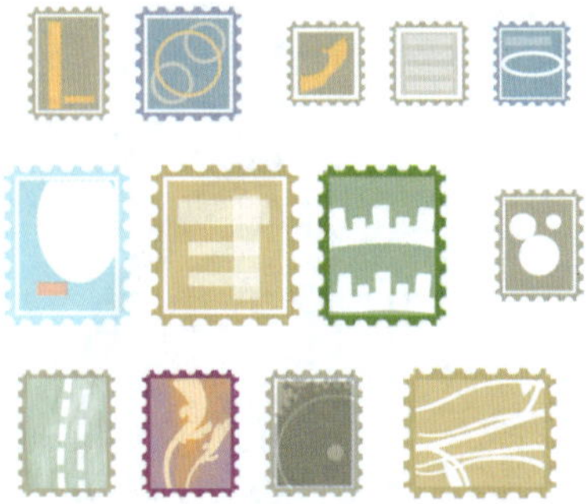

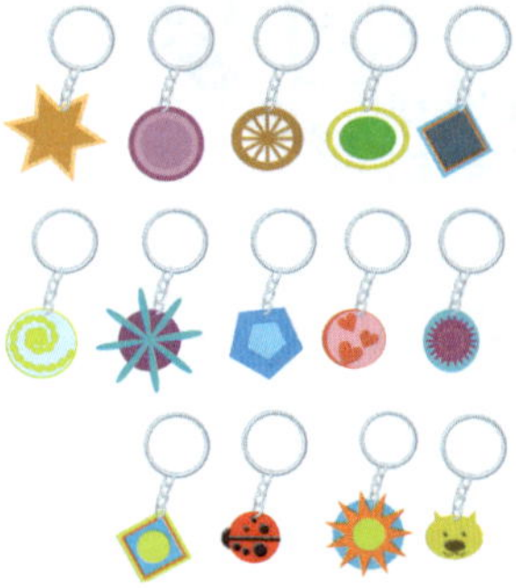

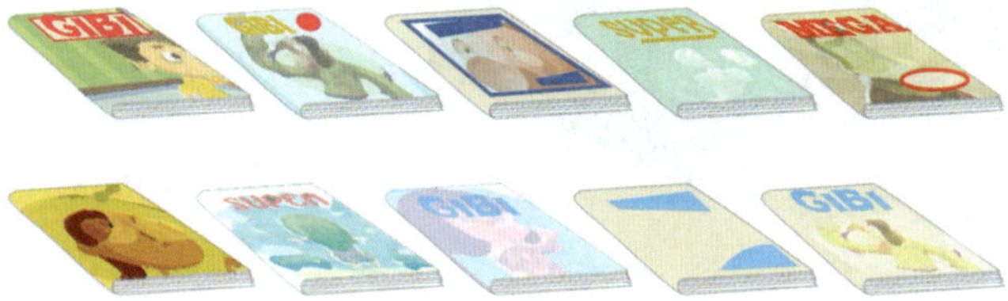

▼ Você sabe do que é composta cada coleção acima?
Com a ajuda do professor, escreva o nome das coleções. Depois, conte os objetos colecionados e escreva os números nos quadrinhos.

▼ Que outras coleções você conhece?

▶ UMA DEZENA DE...

ILUSTRAÇÕES: HÉLIO SENATORE

Observe os objetos ilustrados. Eles fazem parte de uma coleção.
▼ Você já viu algum desses objetos?

Junte as coleções ligando os objetos de mesmo tipo. Depois, conte os elementos de cada coleção e descubra qual delas tem **10** objetos. Escreva da maneira que souber o nome dessa coleção em uma folha à parte.

COLEÇÃO DE CARRINHOS

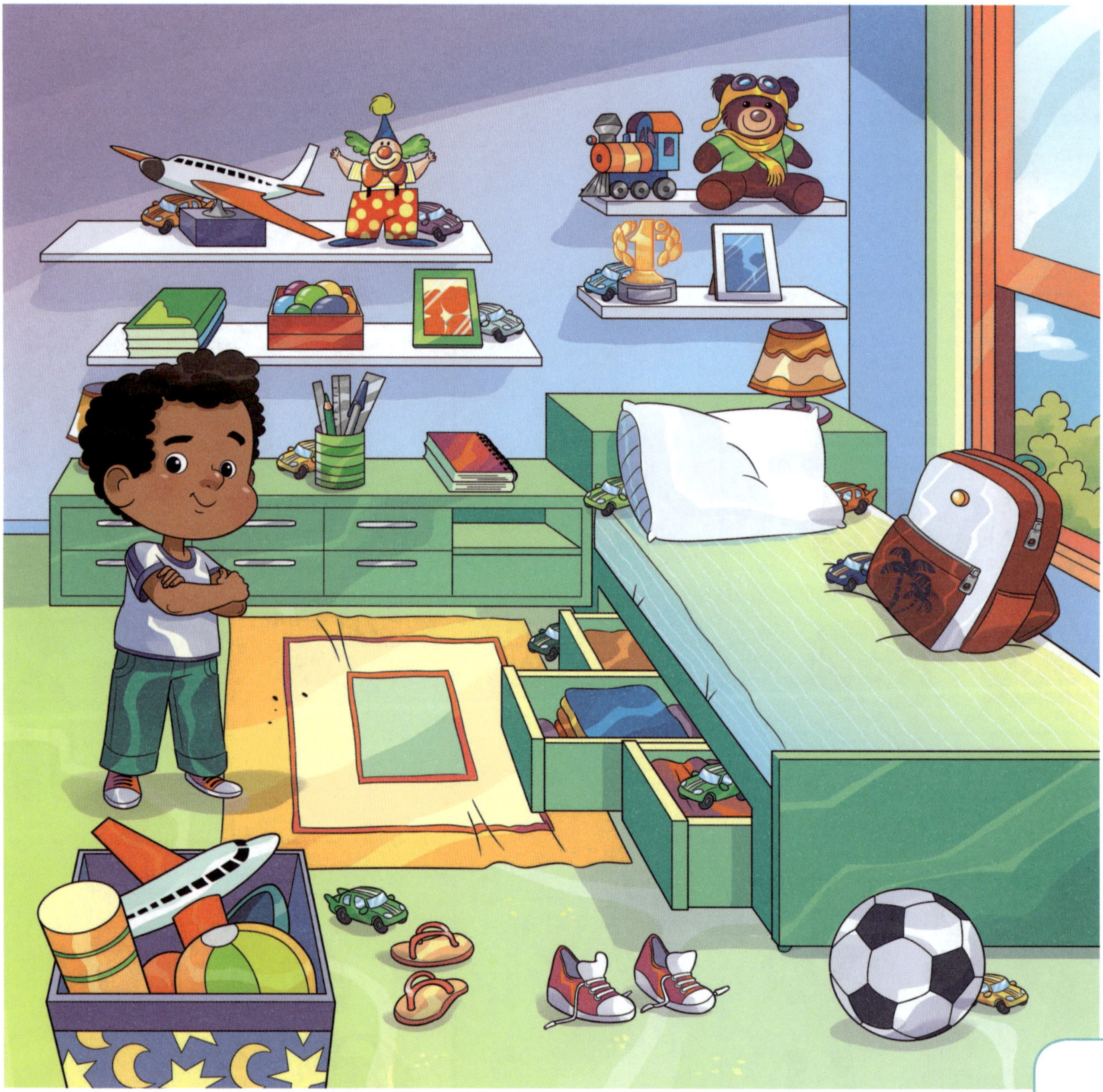
ILUSTRA CARTOON

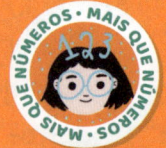

Joel tem uma coleção de **1 dúzia** de carrinhos.

Encontre os carrinhos da coleção de Joel e marque-os com um **X**.

- Quantos carrinhos você encontrou?
  Registre o número no quadrinho.
- Quantos elementos **1 dúzia** representa?

A COLEÇÃO DE SEU ARTUR

SEU ARTUR TEM UMA COLEÇÃO DE RELÓGIOS.

ELE COMPROU MAIS DOIS RELÓGIOS PARA A COLEÇÃO.

TOTAL DE RELÓGIOS DA COLEÇÃO:

▼ Quantos relógios tem a coleção de seu Artur?
Conte e registre o número no quadrinho.
Seu Artur adquiriu mais dois relógios. Desenhe-os no espaço em branco.
▼ Quantos relógios compõem sua coleção agora?
Conte o total de relógios e registre o número no quadrinho.

MARCANDO O TEMPO

SETEMBRO 2021

DOMINGO	SEGUNDA--FEIRA	TERÇA--FEIRA	QUARTA--FEIRA	QUINTA--FEIRA	SEXTA--FEIRA	SÁBADO
			1	2	3	4
5	6	7	8	9	10	11
12	13	14	15	16	17	18
19	20	21	22	23	24	25
26	27	28	29	30		

LUIZ LENTINI

▼ Como os meses e os anos são organizados?
▼ Você já viu um calendário?

Descubra, com a ajuda do professor, como o calendário está organizado e como ele nos ajuda a marcar o tempo.

Depois, pinte a folha de calendário da seguinte forma: o nome do mês de **amarelo**; o nome dos dias da semana de **laranja**; e o ano de **azul**.

▶ O CALENDÁRIO

O SER HUMANO AGRUPOU: OS DIAS EM SEMANAS, AS SEMANAS EM MESES, OS MESES EM ANOS, SURGINDO ASSIM O **CALENDÁRIO**.

★ 2021 ★

JANEIRO						
DOM	SEG	TER	QUA	QUI	SEX	SÁB
					1	2
3	4	5	6	7	8	9
10	11	12	13	14	15	16
17	18	19	20	21	22	23
24	25	26	27	28	29	30
31						

DOM	SEG	TER	QUA	QUI	SEX	SÁB
	1	2	3	4	5	6
7	8	9	10	11	12	13
14	15	16	17	18	19	20
21	22	23	24	25	26	27
28						

MARÇO						
DOM	SEG	TER	QUA	QUI	SEX	SÁB
	1	2	3	4	5	6
7	8	9	10	11	12	13
14	15	16	17	18	19	20
21	22	23	24	25	26	27
28	29	30	31			

ABRIL						
DOM	SEG	TER	QUA	QUI	SEX	SÁB
				1	2	3
4	5	6	7	8	9	10
11	12	13	14	15	16	17
18	19	20	21	22	23	24
25	26	27	28	29	30	

DOM	SEG	TER	QUA	QUI	SEX	SÁB
						1
2	3	4	5	6	7	8
9	10	11	12	13	14	15
16	17	18	19	20	21	22
23	24	25	26	27	28	29
30	31					

JUNHO						
DOM	SEG	TER	QUA	QUI	SEX	SÁB
		1	2	3	4	5
6	7	8	9	10	11	12
13	14	15	16	17	18	19
20	21	22	23	24	25	26
27	28	29	30			

JULHO						
DOM	SEG	TER	QUA	QUI	SEX	SÁB
				1	2	3
4	5	6	7	8	9	10
11	12	13	14	15	16	17
18	19	20	21	22	23	24
25	26	27	28	29	30	31

DOM	SEG	TER	QUA	QUI	SEX	SÁB
1	2	3	4	5	6	7
8	9	10	11	12	13	14
15	16	17	18	19	20	21
22	23	24	25	26	27	28
29	30	31				

SETEMBRO						
DOM	SEG	TER	QUA	QUI	SEX	SÁB
			1	2	3	4
5	6	7	8	9	10	11
12	13	14	15	16	17	18
19	20	21	22	23	24	25
26	27	28	29	30		

DOM	SEG	TER	QUA	QUI	SEX	SÁB
					1	2
3	4	5	6	7	8	9
10	11	12	13	14	15	16
17	18	19	20	21	22	23
24	25	26	27	28	29	30
31						

NOVEMBRO						
DOM	SEG	TER	QUA	QUI	SEX	SÁB
	1	2	3	4	5	6
7	8	9	10	11	12	13
14	15	16	17	18	19	20
21	22	23	24	25	26	27
28	29	30				

DEZEMBRO						
DOM	SEG	TER	QUA	QUI	SEX	SÁB
			1	2	3	4
5	6	7	8	9	10	11
12	13	14	15	16	17	18
19	20	21	22	23	24	25
26	27	28	29	30	31	

LUIZ LENTINI

Complete o calendário escrevendo o nome dos meses que faltam.
▼ Quantos meses tem o ano?
Conte os meses e registre o número no quadrinho. Depois, pinte de **verde** o mês em que você iniciou as aulas nesta escola.
Por fim, encontre o mês de seu aniversário e circule o dia em que você nasceu.

OS DIAS DA SEMANA!

▼ Quantos são os dias da semana?
▼ Que dia da semana é hoje?
 Escreva da maneira que souber o nome do dia da semana em que está e faça um desenho para representar algo importante que você fez ou irá fazer hoje.
▼ Quais são os outros dias da semana?
 Escreva nas linhas e numere-os.

SER CIDADÃO

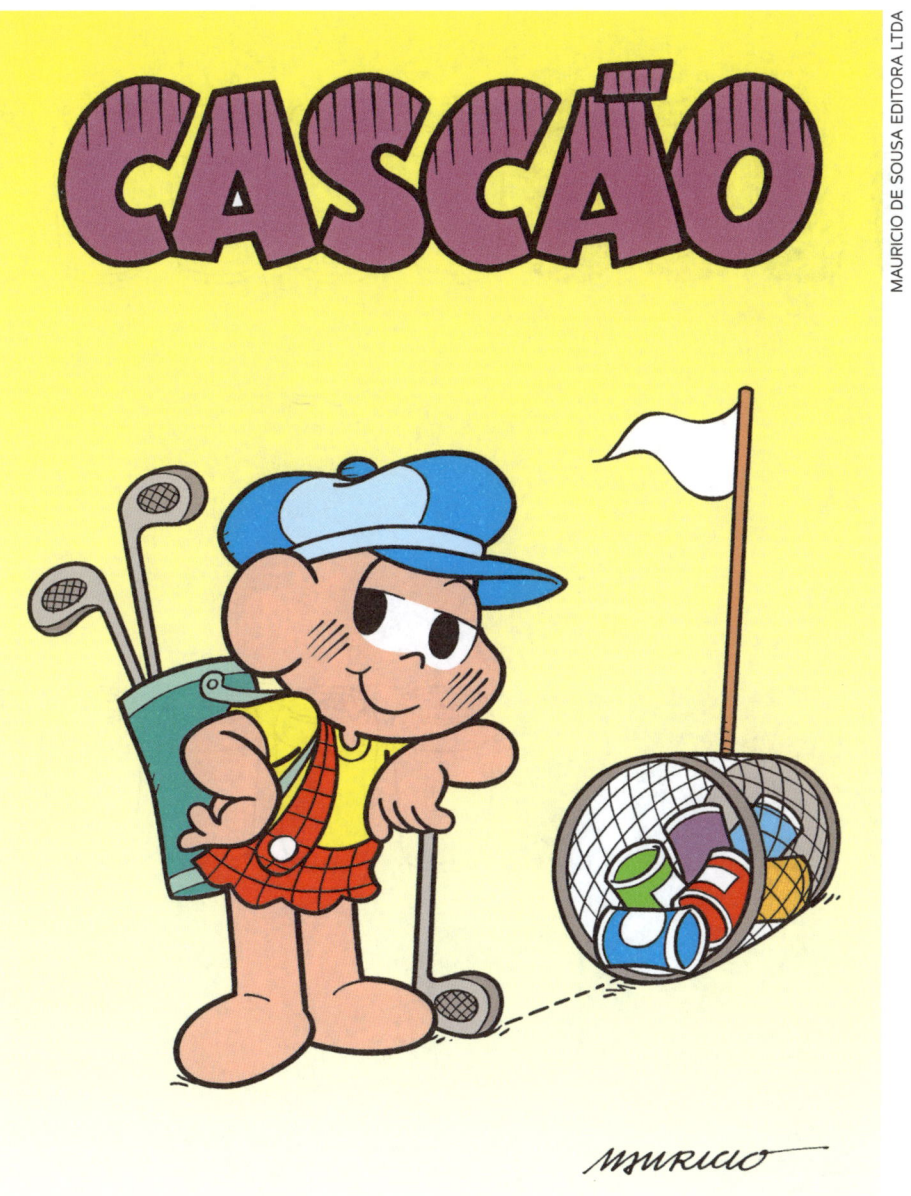

- ▼ Que esporte Cascão está praticando? O que há no lugar das bolinhas?
- ▼ De que forma a ação dele está contribuindo para o meio ambiente?

Conte quantas latas Cascão coletou e registre o número no quadrinho.

- ▼ Você já viu uma coleção de latas?

O QUE VEM DEPOIS?

- ▼ Como as latas estão organizadas?
  Observe a sequência de cores das latas e termine de pintá-las.
- ▼ Quantas latas há em cada sequência?
  Escreva nos quadrinhos quantas latas há em cada sequência.

CONSERVANDO O AMBIENTE

ILUSTRAÇÕES: HÉLIO SENATORE

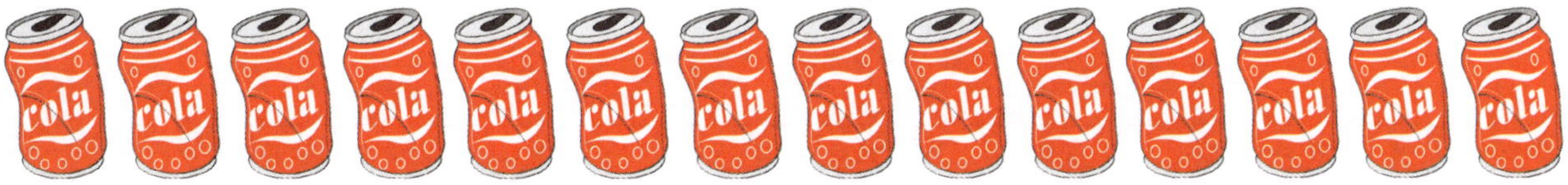

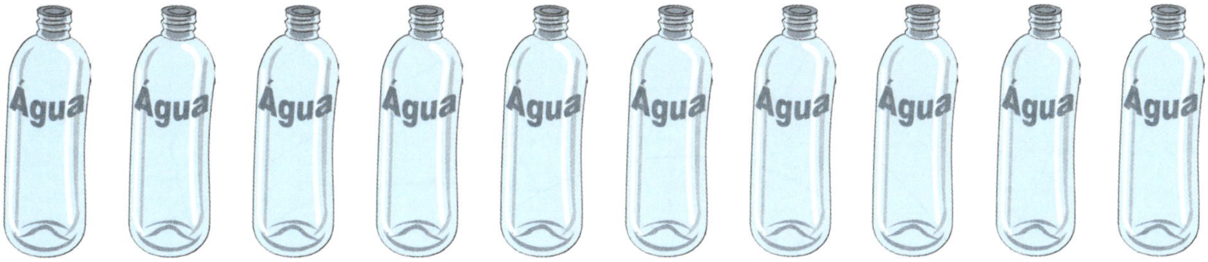

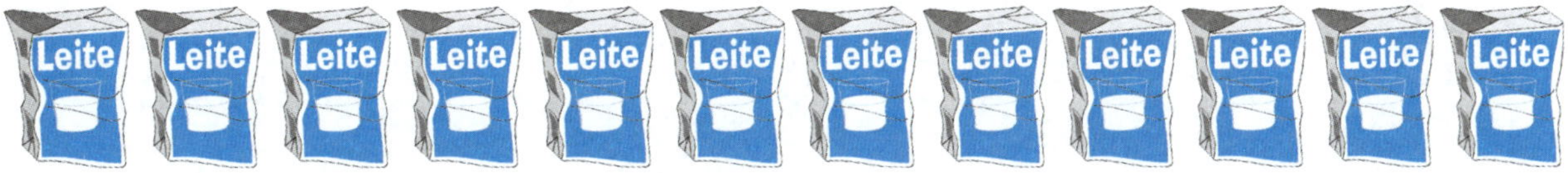

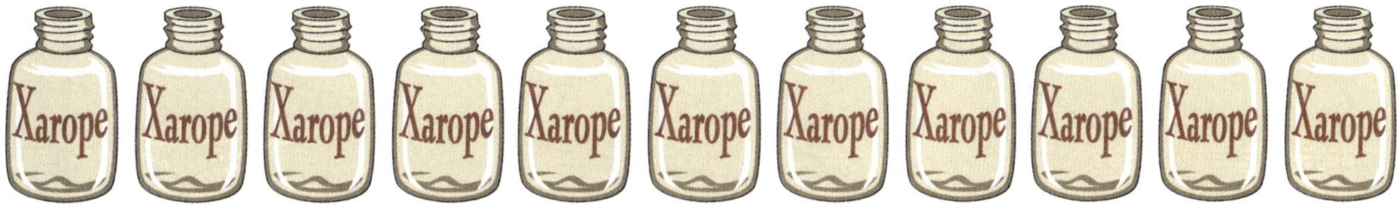

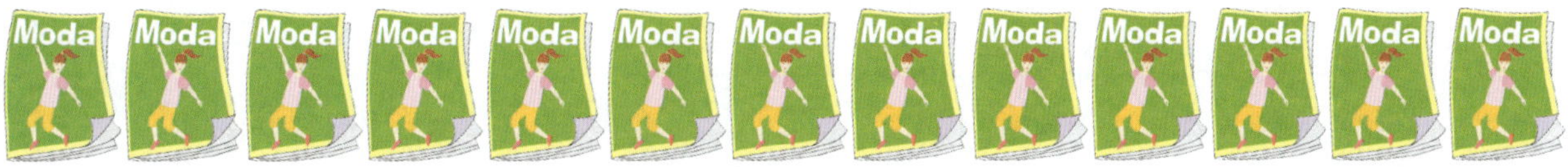

Em uma campanha de limpeza e conservação do ambiente, crianças de uma escola coletaram grande quantidade de material reciclável.

Conte a quantidade de cada material e registre nos quadrinhos.

- Que outras ações você acha que podem contribuir para a conservação do meio ambiente?

Converse com os colegas e o professor e façam uma lista para expor em sala.

MAIS QUE NÚMEROS · MAIS QUE NÚMEROS ·

NOVA COLEÇÃO

1 2 3

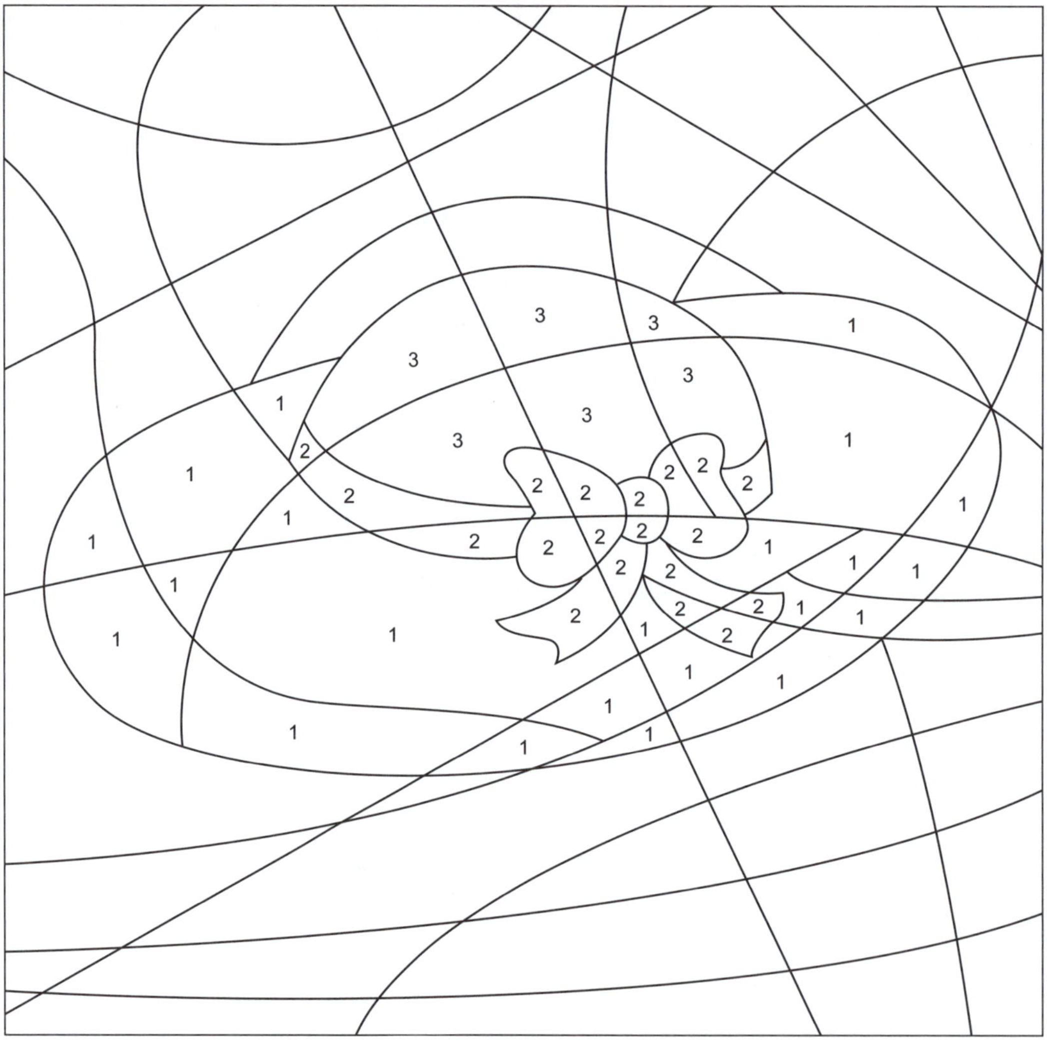

LUIZ LENTINI

▼ O que mais podemos colecionar?

Pinte os espaços com números de acordo com a legenda e descubra outro objeto que podemos colecionar. Registre o nome dele no quadro.

QUE CHAPÉU USAR?

PROCURO UM CHAPÉU QUE TEM ABA **LARGA**, UM LAÇO DE FITA AMARRADO E ESTÁ DO LADO **DIREITO** DO CABIDE.

HENRIQUE BRUM

Natália tem uma coleção de chapéus. Ajude-a a escolher um deles para ir ao parque. Siga as pistas e descubra o chapéu que ela quer usar. Pinte-o de **cor-de-rosa**.

▼ Quantos chapéus há na coleção de Natália?

75

UMA COLEÇÃO DE FITAS

- A FITA MAIS **COMPRIDA** É LISTRADA.
- A FITA MAIS **CURTA** É **VERDE**.
- A FITA MAIS **LARGA** TEM BOLINHAS **ROXAS**.

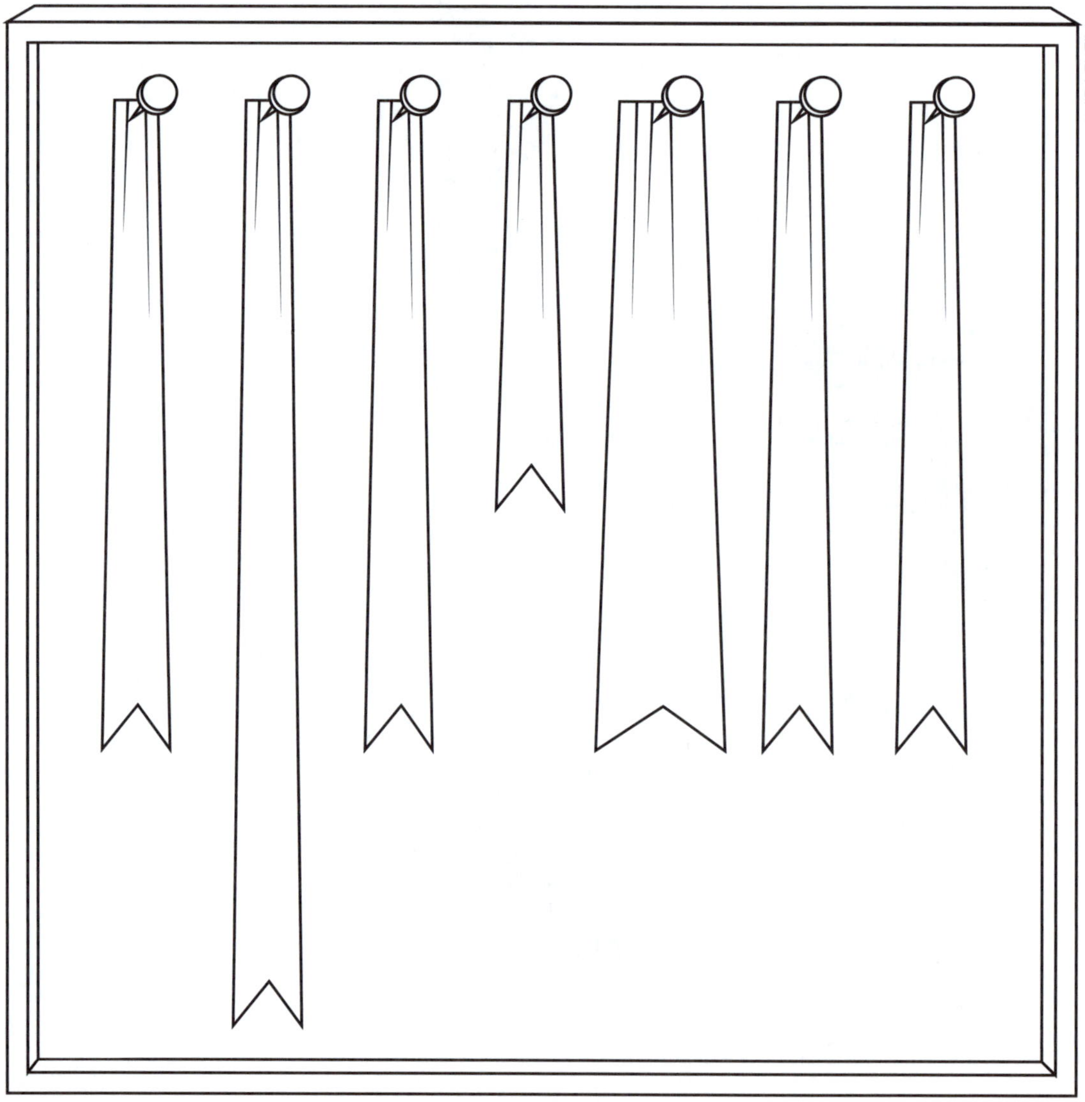

LUIZ LENTINI

Júlia adora ganhar presentes. Gosta mais ainda quando o presente vem embalado com uma fita, pois ela coleciona fitas. Ajude a menina a organizar sua coleção de fitas seguindo as instruções acima.

▼ Quantas fitas há na coleção de Júlia?

Registre o número no quadrinho.

ENTRE TAMANHOS · ENTRE TAMANHOS

MAIS QUE NÚMEROS · MAIS QUE NÚMEROS

COLEÇÕES DA TURMA DA ESCOLA

ILUSTRAÇÕES: LUIZ LENTINI

▼ Você já viu alguma dessas coleções?
▼ Você sabe dizer qual delas tem **mais** elementos sem precisar contá-los?

Escreva nos quadrinhos quantos elementos há em cada coleção. Depois, marque com um **X** a que apresenta mais elementos.

TAREFA PARA CASA 6

77

VAMOS VIAJAR DE FÉRIAS POR _____ DIAS!

Observe a imagem com atenção. Destaque a figura da página 187 do encarte e cole-a no espaço para completar a cena.

o O que você colou na imagem?
o O que a família pretende fazer?

Ouça a leitura do professor, conte os dias marcados no calendário e complete a lacuna escrevendo o número que representa essa quantidade.

o Você gosta de viajar? Por quê?

HORA DE ARRUMAR AS MALAS

▼ Quantas peças de roupa a mãe levará na mala?
Observe a imagem e numere as peças de roupa para descobrir a resposta. Depois, registre no quadrinho o número que representa o total de peças que ela levará.

▶ A MALA DAS CRIANÇAS

▼ Quantas peças de roupa a menina levará na mala?
▼ Quantas peças de roupa o menino levará na mala?
   Conte as peças de roupa para descobrir a resposta. Depois, registre no quadrinho o número que representa o total de peças que cada criança levará.
▼ Quem levará **mais** roupas: o menino ou a menina?

OS PARES DE SAPATOS

ILUSTRAÇÕES: LUIZ LENTINI

NÚMERO DE PARES: ☐

▼ Quando você viaja, costuma levar **muitos** ou **poucos** pares de sapato?

Observe os calçados espalhados nesta página e pinte com a mesma cor os pares que encontrar.

▼ Quantos pares você formou?

Registre o número no quadrinho.

COMO É O VESTIDO DE MARIETA?

CADA COISA EM SEU LUGAR

O ARMÁRIO DE MARIETA É A MAIOR ARRUMAÇÃO.

SEUS VESTIDOS ESTAMPADOS VÃO NA PRIMEIRA GAVETA E NA SEGUNDA SÓ SEUS VESTIDOS COM BOTÃO.

COMO SERÁ O ÚNICO VESTIDO DE MARIETA QUE PODE SER GUARDADO TANTO NA PRIMEIRA COMO NA SEGUNDA GAVETA?

RENATA BUENO. **POEMAS PROBLEMAS**. SÃO PAULO: EDITORA DO BRASIL, 2012. P. 23.

LUIZ LENTINI

▼ Você sabe o que é um vestido estampado?
▼ E um vestido com botões?
   Ouça a situação-problema que o professor lerá e complete o vestido solucionando a questão proposta no texto.

TAREFA PARA CASA 7

E AS FÉRIAS, ONDE SERÃO?

FÉRIAS

NESTE ANO EU VOU À PRAIA.
NESTE ANO EU FICO NA SERRA.
MEUS DIAS SERÃO LONGOS.
SERÁ LONGA A MINHA ESPERA.
O MAR SOBE À MONTANHA.

DESCE A MONTANHA AO MAR,
COM FLORES SOBRE AS ONDAS.
FARFALHAM JACARANDÁS.
MEU AMOR, DE MARÉ-CHEIA.
MEU AMOR, DE ESPUMAS DO MAR.

SÉRGIO CAPPARELLI. **111 POEMAS PARA CRIANÇAS**. PORTO ALEGRE: L&PM, 2003. P. 14.

▼ Você costuma viajar nas férias? Para onde você já foi?
▼ Se não costuma viajar, mas pudesse fazê-lo, para onde você iria: para a praia ou para a serra?

Faça uma pesquisa, com a ajuda do professor, para descobrir qual é o lugar preferido para onde as crianças da turma gostariam de viajar. Anote o resultado nos quadrinhos.

QUAL É A DATA DA VIAGEM?

JULHO

DOMINGO	SEGUNDA-FEIRA	TERÇA-FEIRA	QUARTA-FEIRA	QUINTA-FEIRA	SEXTA-FEIRA	SÁBADO
				1	2	3
4	5	6	7	8	9	10
11	12	13	14	15	16	17
18	19	20	21	22	23	24
25	26	27	28	29	30	31

2021

Uma família deve sair de viagem em uma sexta-feira do mês de julho e voltar depois de uma semana, ainda em julho.

▼ Em quais sextas-feiras do mês de julho a família poderá iniciar a viagem?
Pinte de **vermelho**, no calendário, uma das opções.

▼ De acordo com o dia que você escolheu, que dia a família retornará?
Pinte de **amarelo** os dias da semana em que a família estará viajando.

▶ PÉ NA ESTRADA

O CÉU ESTÁ ESCURO, A RUA EM SILÊNCIO, E AS LUZES DOS POSTES AINDA ESTÃO ACESAS...

— VAMOS, VAMOS! — DIZ MAMÃE, ABRINDO A JANELA. — SE SAIRMOS LOGO, VEREMOS O AMANHECER NO CARRO.

E NÓS VEMOS! É MARAVILHOSO!

O SOL É COMO UMA BOLA AMARELA ENORME QUE SOBE E SOBE ATÉ QUE... JÁ É DIA!

ESTAMOS COMPLETAMENTE ACORDADOS, ASSIM COMO AS ÁRVORES, OS PÁSSAROS E OS GIRASSÓIS. [...]

PILAR RAMOS. **UM LONGO DIA**. SÃO PAULO: EDITORA DO BRASIL, 2007. P. 4-6.

Acompanhe a leitura do professor e faça um desenho para ilustrar o texto.
- ▼ Para onde a família vai? Será que os familiares partiram em uma viagem?
- ▼ Pelas informações do texto, a que horas eles saíram de casa? Era noite ou era dia?

BELEZAS PELO CAMINHO

VIAJANDO DE CARRO, TREM OU ÔNIBUS, PODEMOS OBSERVAR A PAISAGEM AO LONGO DAS ESTRADAS.

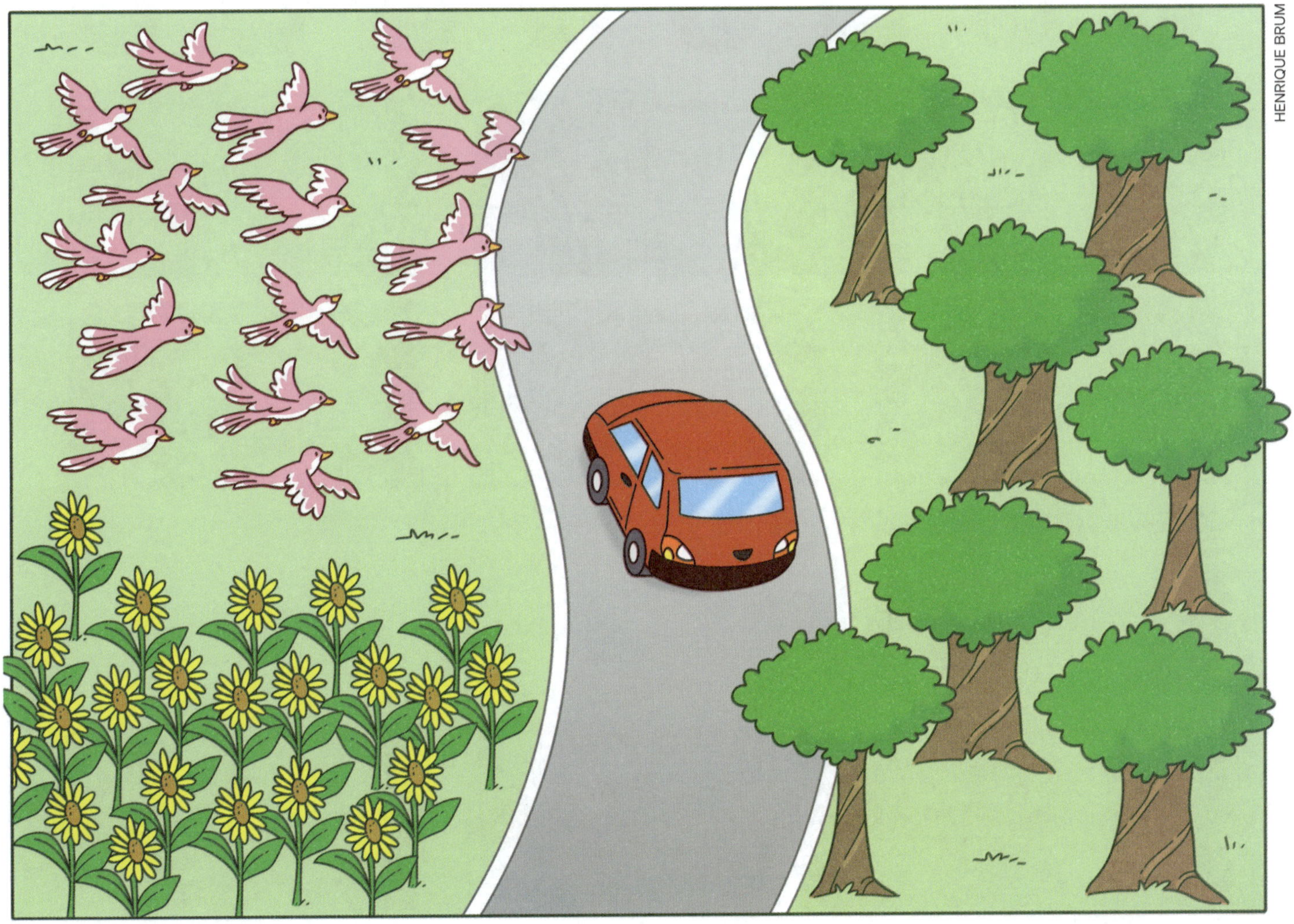

HENRIQUE BRUM

- O que a família que está nesse carro pode ver do lado **direito** da estrada?

  Marque um **X** nas árvores de caule **grosso**.

- Quantas árvores você marcou? Quantas têm o caule **fino**?

  Depois, observe o lado **esquerdo** da estrada e conte os pássaros para saber quantos há no bando.

  Escreva o número do quadrinho.

ECONOMIZANDO PARA A VIAGEM

QUANTAS MOEDAS? ☐   QUANTAS CÉDULAS? ☐

Para viajar, Marcela economizou a mesada que recebe dos pais. Observe a quantidade de moedas e cédulas que ela guardou.

▼ Em sua opinião, o que Marcela pode comprar com esse dinheiro durante a viagem?

Com a ajuda do professor, conte a quantidade de moedas e cédulas e escreva o número nos quadrinhos.

DIVERSÕES DA POUSADA

▼ Você já esteve em alguma pousada?
Liste com os colegas algumas das atrações possíveis em uma pousada.
Agora, observe as atrações dessa pousada.
▼ Quantas atrações essa pousada oferece?
▼ Quanto custa usufruir de cada uma das atrações?
Junte os valores de cada uma delas e registre-os.

BRINCADEIRAS NA POUSADA

AS ILHOTAS

1ª PARTIDA	
MARCELA	LÍGIA
6 3	3 7
TOTAL DE PONTOS: _____	TOTAL DE PONTOS: _____

2ª PARTIDA	
PEDRO	MIGUEL
8 7	7 6
TOTAL DE PONTOS: _____	TOTAL DE PONTOS: _____

▼ Você conhece o jogo chamado "as ilhotas"?

Vá ao pátio da escola e brinque com os colegas e o professor. Depois, veja quantos pontos as crianças da pousada fizeram e descubra o vencedor de cada partida. Para isso, observe as jogadas, junte os pontos de cada pratinho e escreva o número correspondente.

▼ Quem foi o vencedor de cada partida?

▶ MAIS RECREAÇÃO

TRILHA DE TAMPINHAS

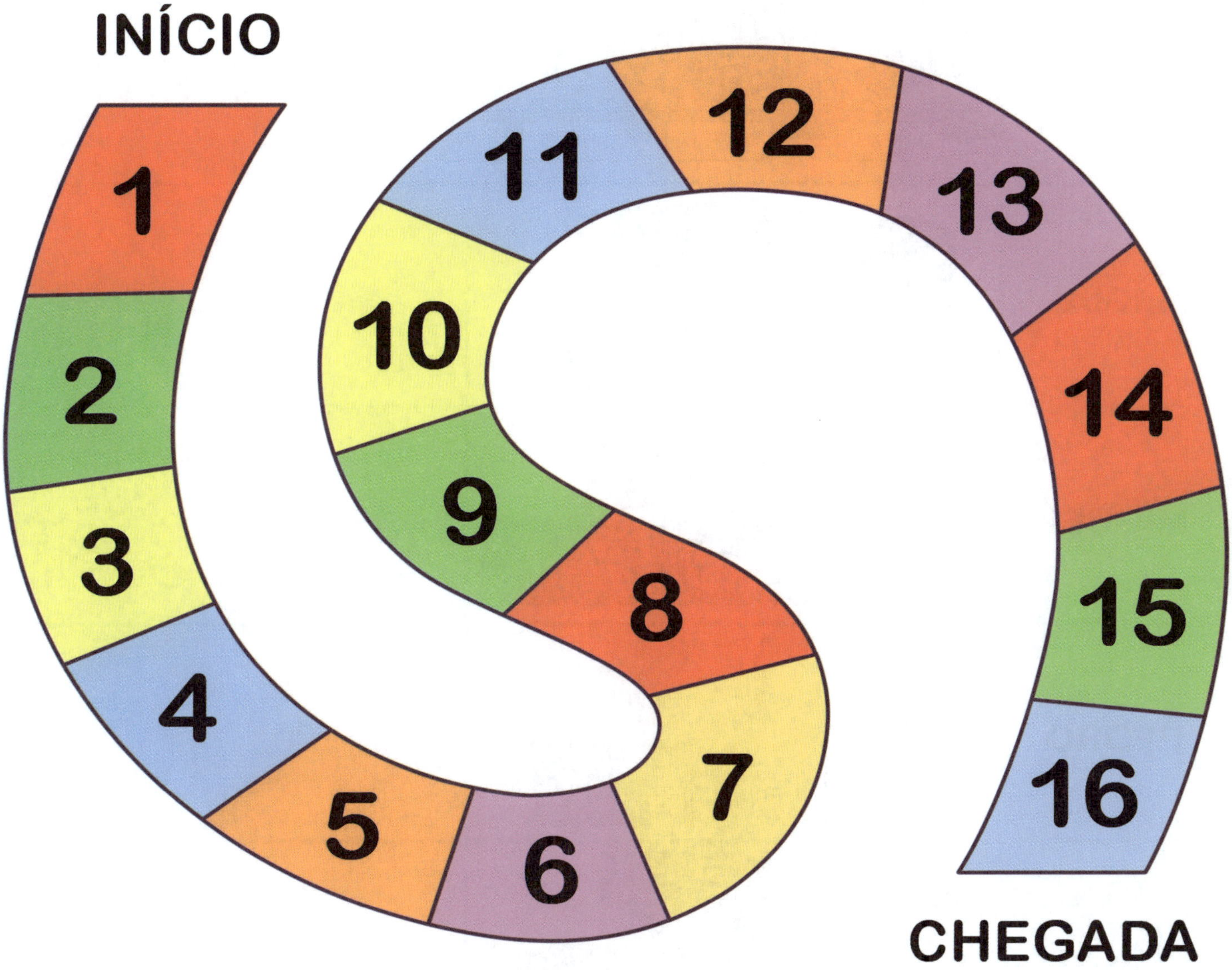

INÍCIO

CHEGADA

O recreacionista da pousada propôs às crianças o jogo "trilha de tampinhas".
▼ Você conhece esse jogo?
   Pedro conseguiu alcançar a casa **15** e Marcela chegou à casa **16**. Destaque as tampinhas da página 187 do encarte e cole-as na trilha para indicar a posição dos jogadores.
▼ Quem venceu a brincadeira?
   Em seguida, vá ao pátio da escola e brinque com os colegas e o professor.

LEMBRANÇAS DA VIAGEM

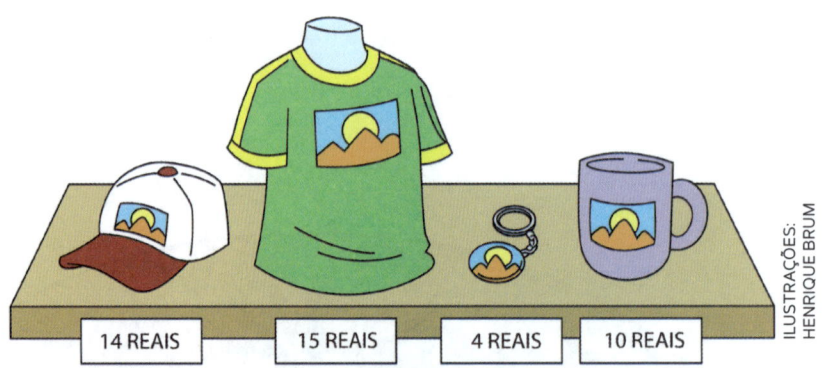

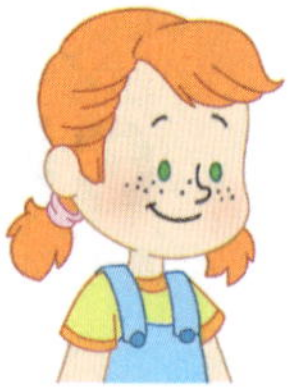

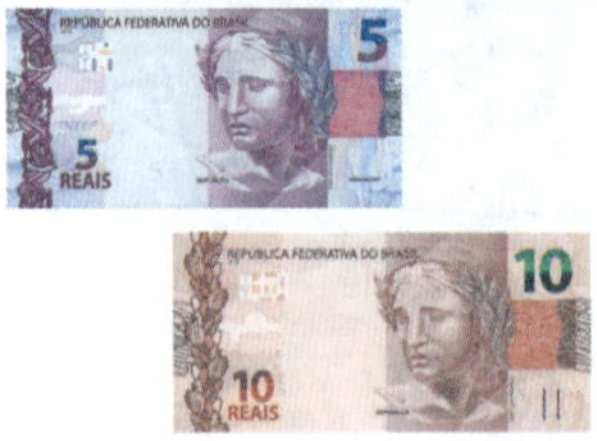

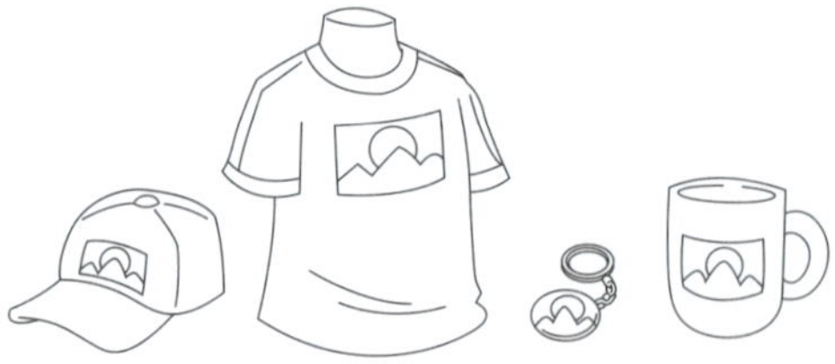

▼ Quando você viaja, costuma trazer lembranças do lugar onde esteve?

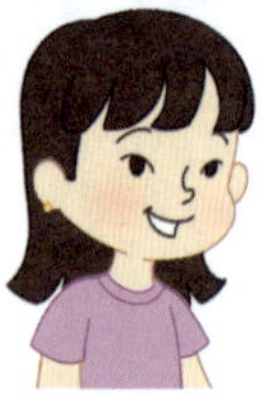

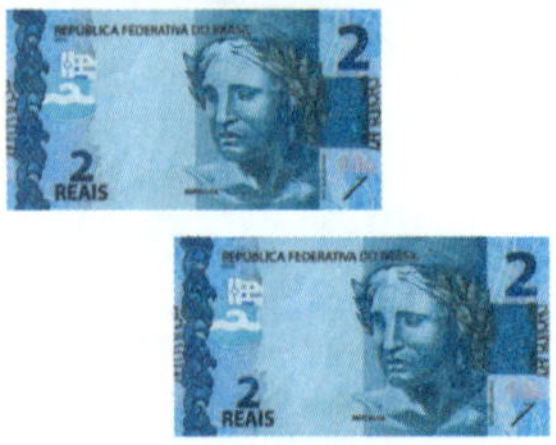

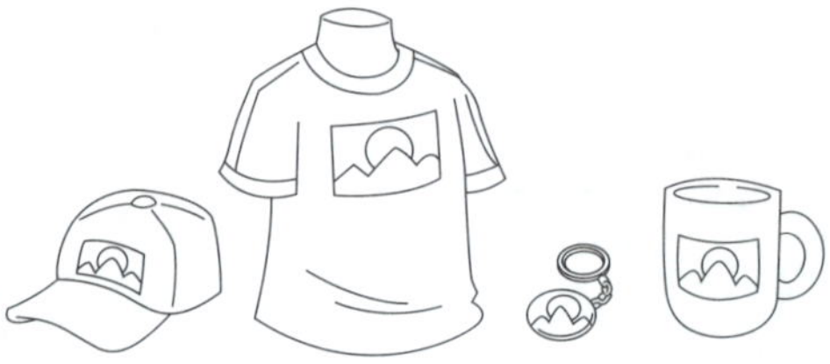

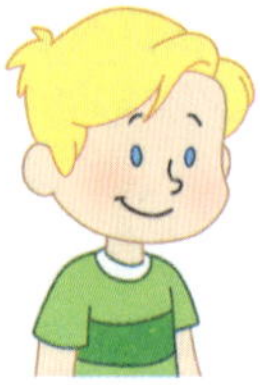

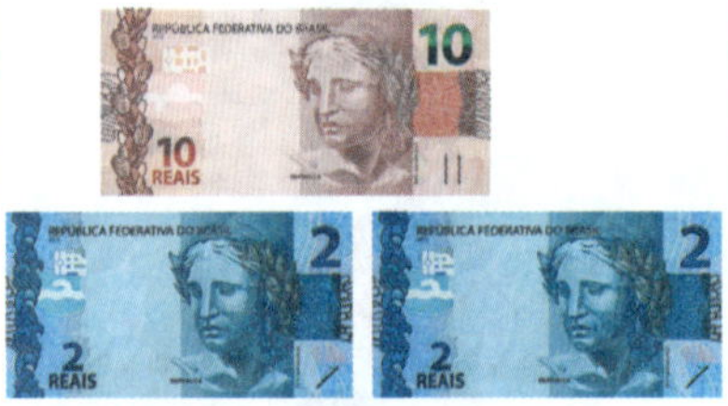

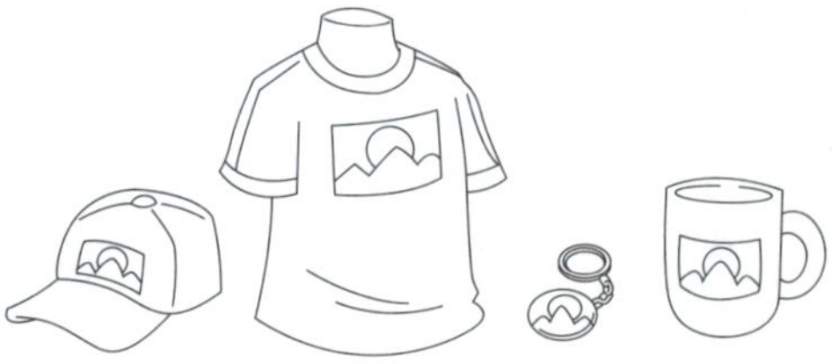

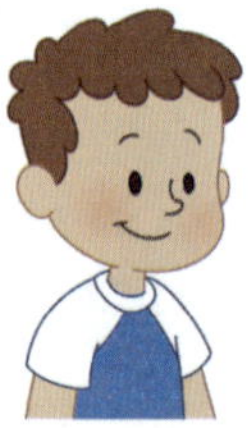

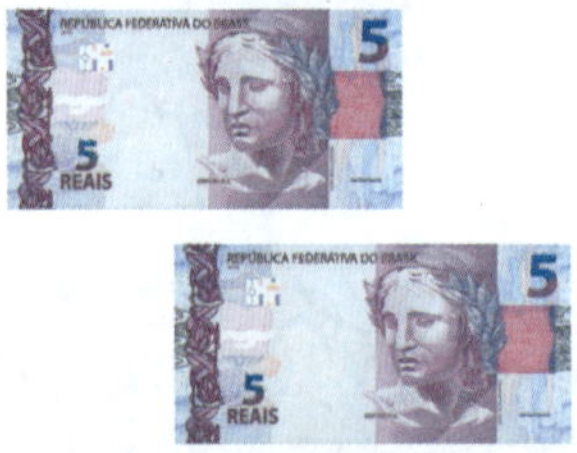

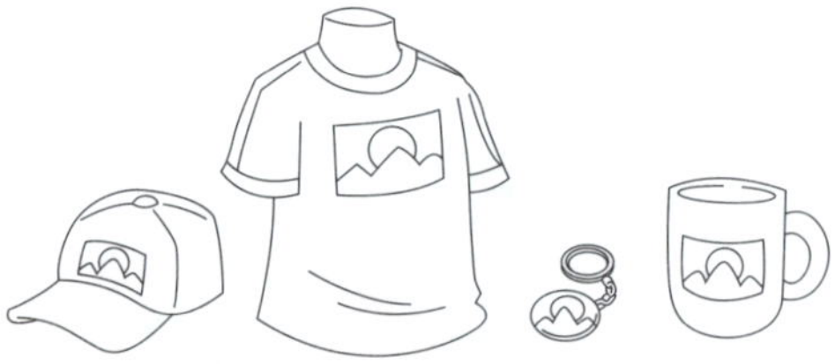

Observe as lembranças que são vendidas na pousada e veja quanto cada criança gastou para comprar o que escolheu.

Pela quantia gasta, descubra e pinte o que cada uma comprou. Mas atenção: cada criança comprou apenas uma lembrança e não sobrou dinheiro.

UM PASSEIO AO PARQUE DE DIVERSÕES

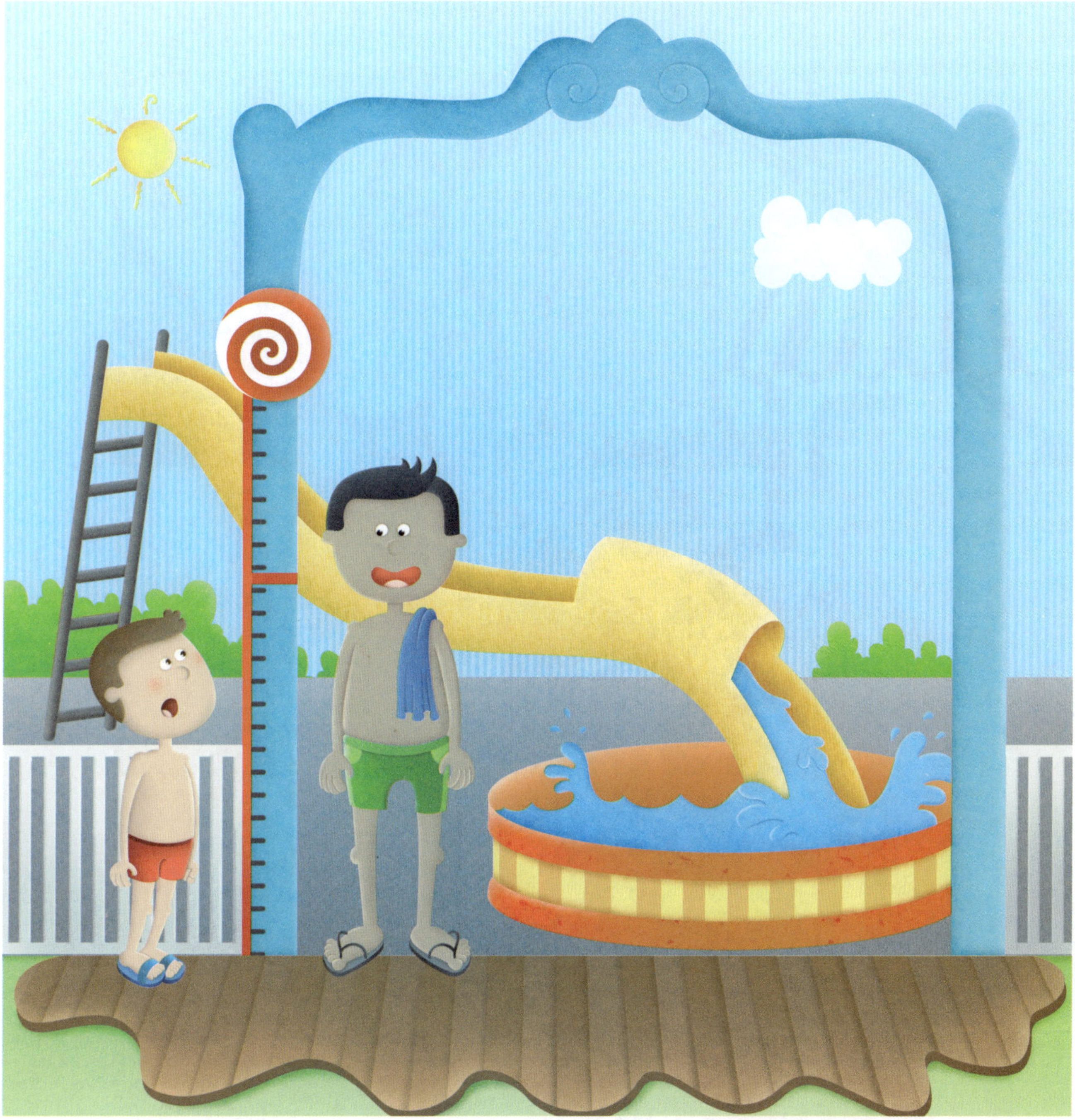

▼ Você já foi a um parque de diversões?
Observe a placa que indica a altura mínima que as crianças devem ter para entrar nesse brinquedo aquático.
▼ Qual das crianças não poderá participar da brincadeira? Marque-a com um **X**.
▼ Qual delas é a mais **alta**?

QUE FILA ENORME!

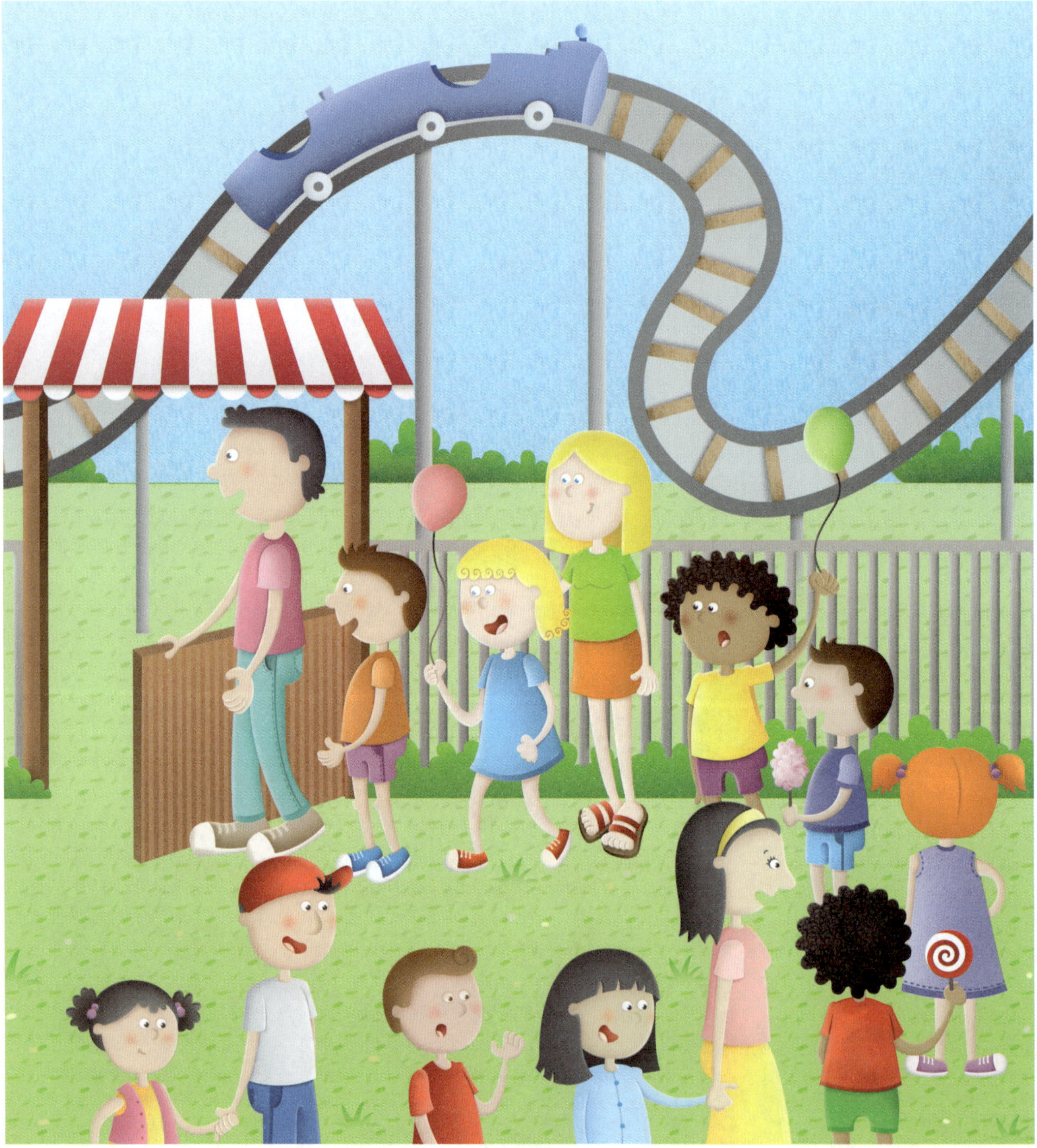

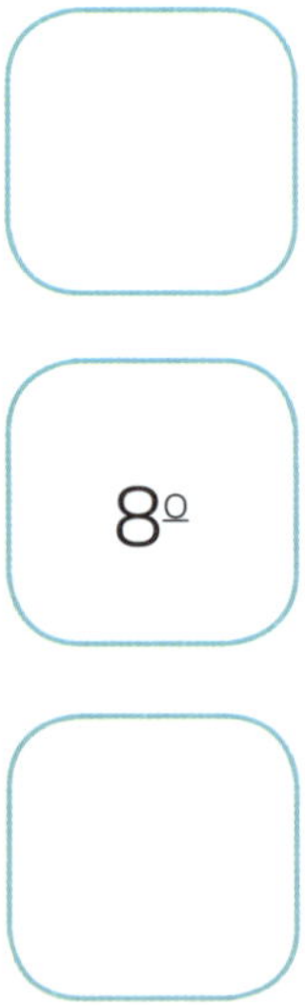

8º

▼ Você sabe o nome desse brinquedo?
▼ Por que há uma fila na entrada dele?
  Marque um **X** na **primeira** pessoa da fila e circule a **oitava** pessoa.
▼ Quais são os vizinhos do **oitavo** da fila?
  Complete os quadrinhos indicando as posições desses vizinhos.

▶ NO ALTO DA RODA-GIGANTE!

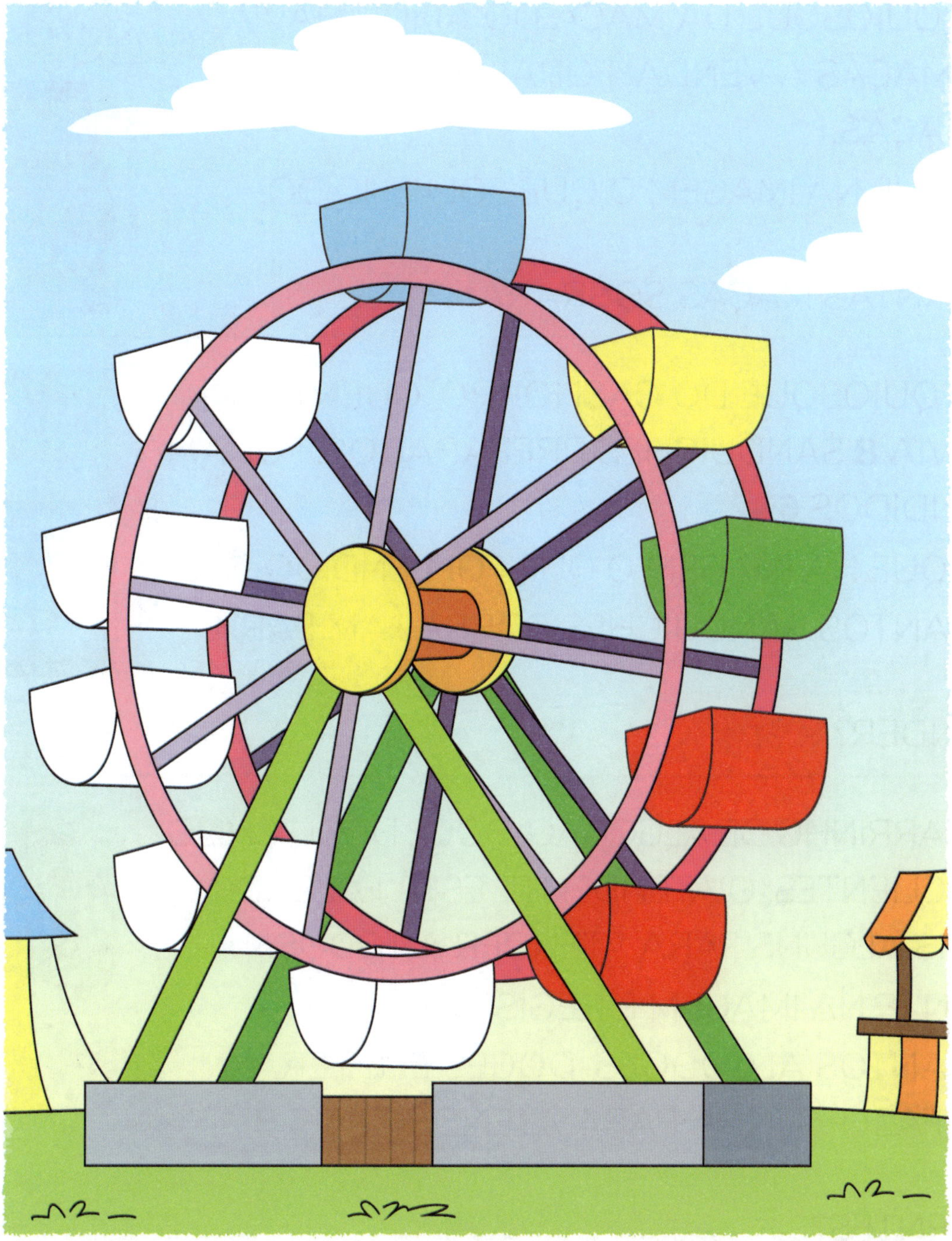

▼ Que forma tem essa roda-gigante?
▼ Quantas cadeiras há nela?
  Observe as cores das cadeirinhas e continue pintando na sequência.

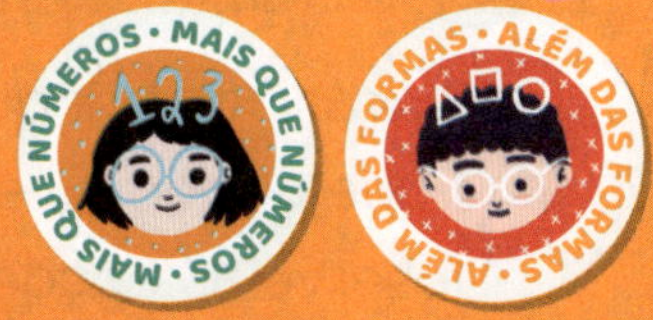

▶ QUE DELÍCIA! VAMOS COMER?

1. NO QUIOSQUE DA MAÇÃ DO AMOR HAVIA **16** MAÇÃS À VENDA. FORAM VENDIDAS **6** MAÇÃS.
RISQUE NA IMAGEM O QUE FOI VENDIDO.

- QUANTAS MAÇÃS SOBRARAM? _____

2. NO QUIOSQUE DO CACHORRO-QUENTE HAVIA **8** SANDUÍCHES PREPARADOS. FORAM VENDIDOS **6**.
RISQUE NA IMAGEM O QUE FOI VENDIDO.
- QUANTOS SANDUÍCHES SOBRARAM PARA VENDER? _____

3. O CARRINHO DE ALGODÃO-DOCE FICOU CHEIO DE CLIENTES. O ATENDENTE ESTÁ FAZENDO MAIS ALGUNS PARA ATENDER A TODOS. CONTE NA IMAGEM E REGISTRE:
- QUANTOS ALGODÕES-DOCES ELE TERÁ DE FAZER AINDA PARA ATENDER AOS **8** CLIENTES? _____

Brincar nos brinquedos de um parque de diversões pode dar fome.
▼ O que podemos encontrar para comer em parques?
Observe as opções ofertadas no parque e resolva as situações-problema que o professor lerá.
▼ O que você prefere? Algodão-doce, maçã do amor ou cachorro-quente?

TURISMO NA CIDADE

● PARQUES NATURAIS ● MUSEUS ● TELEFÉRICO ● ZOOLÓGICO ● LAGO

TOTAL DE PONTOS TURÍSTICOS ☐

● PARQUES ☐

● MUSEUS ☐

▼ Você sabe o que é um ponto turístico?
▼ Quando você viaja, costuma visitar pontos turísticos?

Observe acima o mapa de uma cidade. Encontre nele os pontos turísticos descritos na legenda e preencha os quadrinhos com as quantidades pedidas.

DESCOBERTAS NO MUSEU

THEO VAN DOESBURG.
COMPOSITION XXII (COMPOSIÇÃO XXII), 1922. ÓLEO SOBRE TELA, 45,5 CM × 43,3 CM.

THEO VAN DOESBURG. **CONTRA-COMPOSITION OF DISSONANCES XVI** (CONTRACOMPOSIÇÃO DE DISSONÂNCIAS XVI), 1925. ÓLEO SOBRE TELA, 180 CM × 100 CM.

O museu da cidade tinha uma exposição de obras de arte chamada "Arte concreta". Observe algumas telas dessa exposição.

▼ O que você percebe em comum nas telas?
▼ É possível identificar nelas formas geométricas semelhantes?

Utilize blocos lógicos ou outro material geométrico e crie sua própria arte concreta. Depois, em uma folha à parte, com tinta guache ou giz de cera, reproduza as formas geométricas que se destacam em cada tela apresentada.

▶ TURISMO NO ZOOLÓGICO

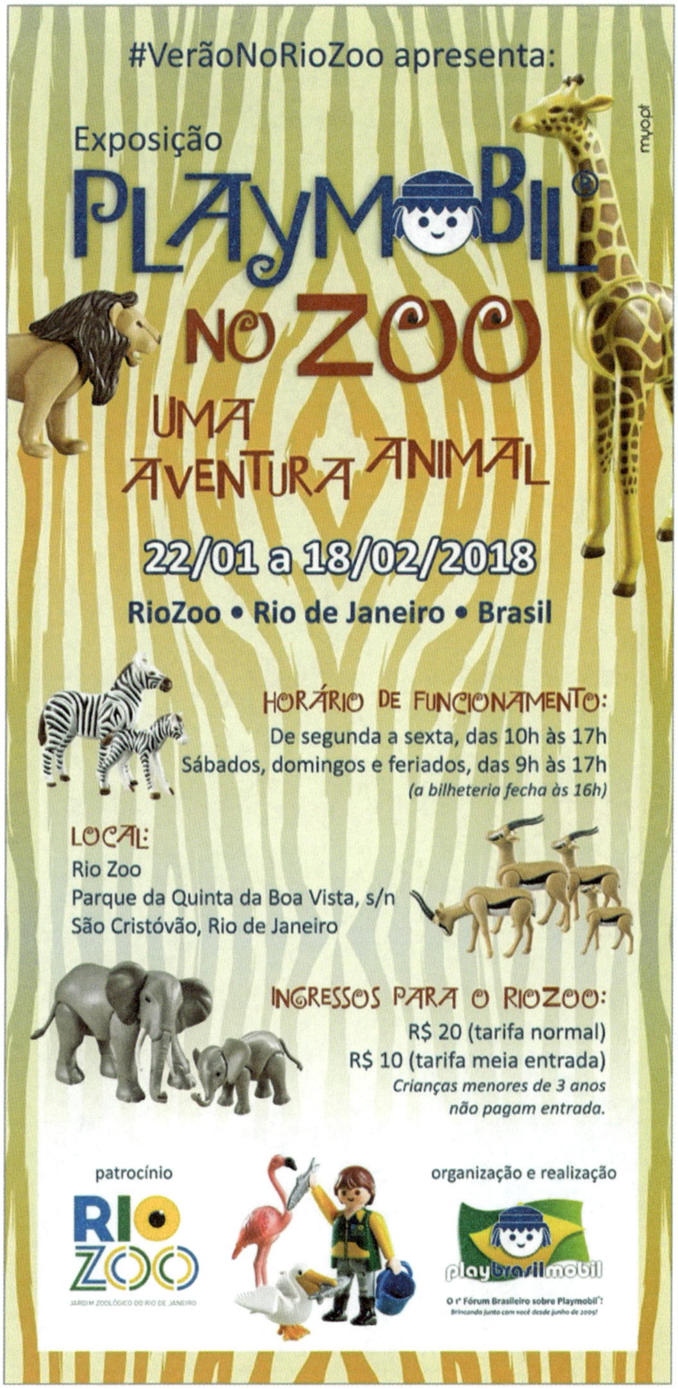

▼ Você já visitou um zoológico?
▼ O que você pode ver lá?

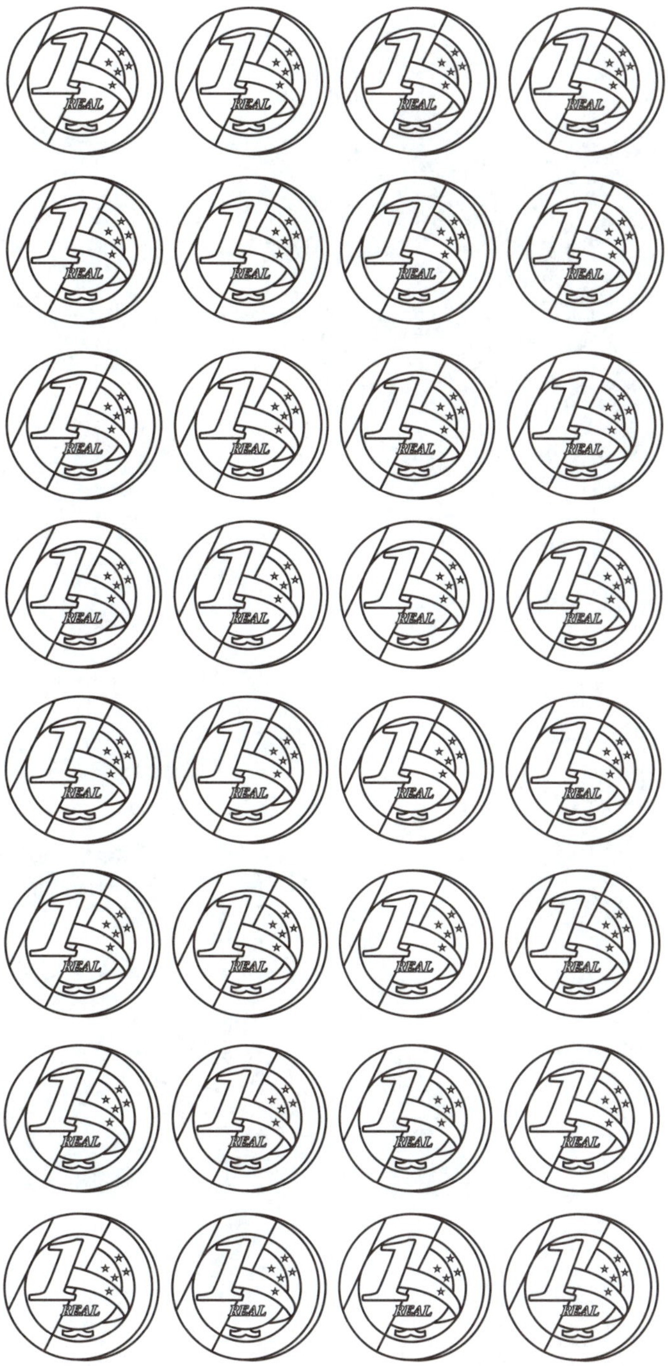

Observe o cartaz do zoológico e leia-o com o professor e os colegas. Depois, responda à seguinte situação-problema: **2** pessoas vão prestigiar o evento e conhecer o zoológico pagando meia-entrada.

▼ Quanto elas gastarão juntas?

Represente o valor pintando as moedas de **1** real na quantidade certa.

NO PARQUE DA CIDADE

____ + ____   ____ + ____   ____ + ____

O Parque da Cidade é um ambiente natural com diversos jardins bem coloridos. Muitas pessoas o visitam para admirar flores de muitas cores e espécies.

Cada jardim é enfeitado por **16** flores.

Observe os espaços e complete-os com as flores que faltam para totalizar **16**. Depois, registre nos quadrinhos a quantidade de flores que havia no espaço e a quantidade de flores que você desenhou.

▶ FIM DE PASSEIO!

HUM... QUE DELÍCIA!

OS QUATRO AMIGOS DA PRACINHA
FORAM JUNTOS TOMAR SORVETE DE CASQUINHA.
SABOR? SÓ DE CREME E CHOCOLATE TINHA.
— CHOCOLATE EMBAIXO E CREME EM CIMA PRA MIM! —
EXCLAMOU LOGO A JASMIM.
— CREME EMBAIXO E CHOCOLATE EM CIMA! —
ESCOLHEU SEM PESTANEJAR A IRMA.
A MAGRELA DA MARLENE
PEDIU DUAS BOLAS DE CREME.
COMO FICA O SORVETE DO VICENTE,
SE QUISER FORMAR UMA COMBINAÇÃO DIFERENTE?

RENATA BUENO. **POEMAS PROBLEMAS**.
SÃO PAULO: EDITORA DO BRASIL, 2012. P. 29.

JASMIM	IRMA	MARLENE	VICENTE

▼ Você gosta de sorvete?
▼ Qual é seu sabor preferido?
   Acompanhe a leitura do professor, desenhe os sorvetes pedidos pelas crianças e descubra a combinação do sorvete de Vicente.

UNIDADE 5
MATEMÁTICA NAS RUAS

Observe a cena, destaque as imagens das páginas 189 e 191 do encarte e cole-as aqui para completá-la. Depois, descreva-a.

- O que há nessa rua?
- O que as pessoas estão fazendo?
- Por que os produtos estão expostos na rua?
- Como as pessoas fazem para vender e comprar esses produtos?

OLHA O COMÉRCIO DE RUA

TEM CAMELÔ...

BOLSAS, RÁDIOS, JOIAS FALSAS,
BRINQUEDOS, LENÇOS, SANDÁLIAS...

COM UMA BANCA E UM BANCO
ESSA LOJA TÃO SORTIDA
MOSTRA TANTA COISA LINDA
SEM NEM MESMO TER VITRINE.

NÃO TEM TETO, NEM PAREDES.
O FREGUÊS DESSA LOJINHA
ENTRA E SAI POR TODO LADO.
TODO MUNDO É ATENDIDO,
TODO MUNDO É BEM TRATADO.

– UM RELÓGIO PRA MADAME!
UM CINTO PRO CAVALHEIRO,
UM CARRINHO PRO GAROTO,
PRO MOÇO ALI UM CHAVEIRO.

MARCELO XAVIER. **TEM DE TUDO NESTA RUA...**
BELO HORIZONTE: FORMATO, 1990. P. 8.

Acompanhe a leitura do professor e descubra sobre o que é o poema.
▼ Quais são os produtos vendidos por esse camelô?
Desenhe-os ao lado do poema.

► OLHA A VARIEDADE!

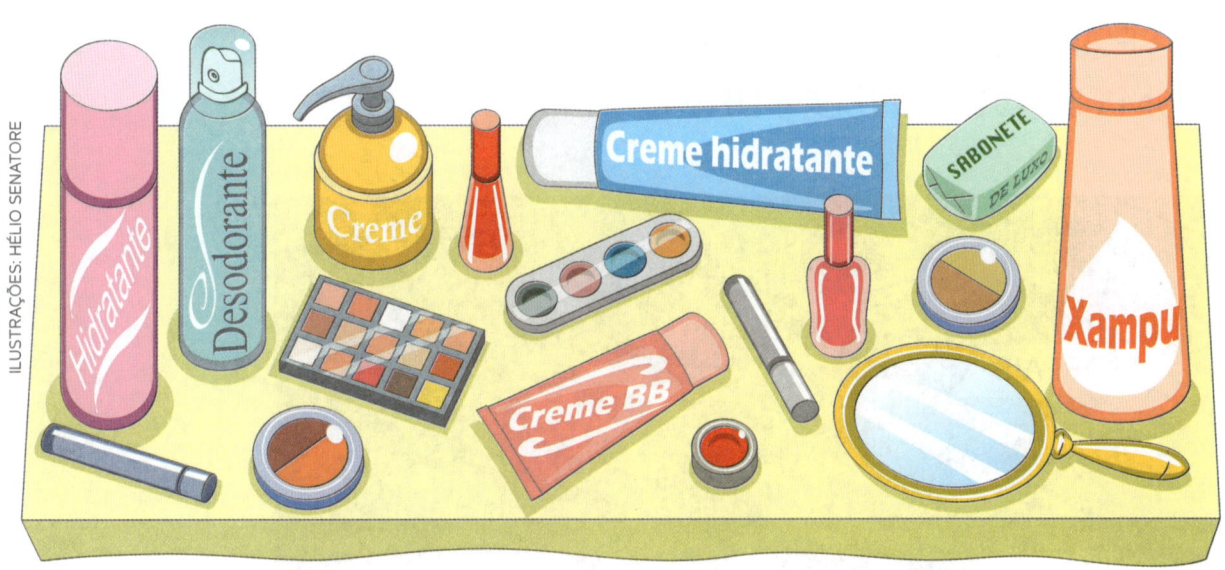

▼ Como é o trabalho de um vendedor?
   Observe as mercadorias que os vendedores acabaram de arrumar nas bancas de camelô ilustradas.
▼ Quantos produtos há em cada banca?
   Conte e registre as quantidades nos quadrinhos.
▼ Em qual das bancas há **mais** produtos?

VAMOS JUNTAR?

MARCELO FOI A UMA LOJA DO BAIRRO ONDE MORA E COMPROU UM CHAVEIRO E UM BRINQUEDO.

PARA JUNTAR QUANTIDADES, VOCÊ PRECISA FAZER UMA **ADIÇÃO**. NESSA OPERAÇÃO MATEMÁTICA UTILIZAMOS OS SINAIS DE + (MAIS) E = (IGUAL).

_____ + _____ = _____

▼ Como podemos descobrir o valor total que Marcelo gastou nessa loja?

Represente com risquinhos os valores gastos por Marcelo, junte os risquinhos e conte-os.

Depois, com a ajuda do professor, represente essa adição.

RESOLVA AS SITUAÇÕES

1. PARA ORGANIZAR A MERCADORIA QUE RECEBEU, DONA ANTÔNIA CONSEGUE COLOCAR **18** BRINQUEDOS NA VITRINE. ELA JÁ COLOCOU **9** BRINQUEDOS.

   - QUANTOS FALTAM PARA FINALIZAR A AMOSTRA?

_____ + _____ = _____

2. SEU CÉLIO TINHA **10** CARRINHOS DE COLEÇÃO EM SUA VITRINE. COLOCOU MAIS **7**.

   - QUANTOS CARRINHOS FICARAM AO TODO?

_____ + _____ = _____

▼ Você sabe o que é uma vitrine?

Para resolver as adições, desenhe bolinhas para representar os objetos que faltam nas vitrines. Depois, registre as quantidades, junte-as e descubra o total.

OLHA O CINTO, PESSOAL!

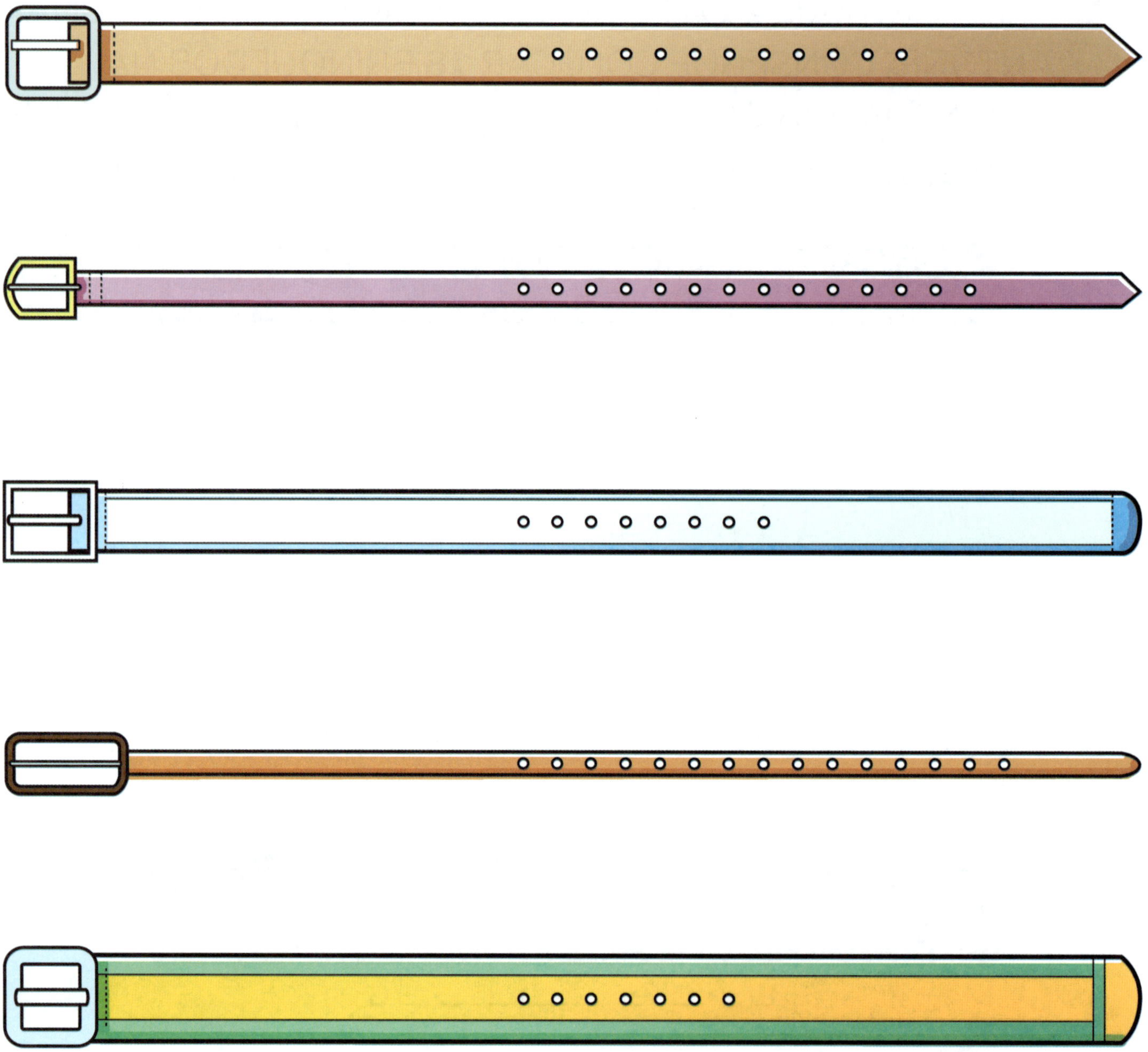

▼ Você costuma usar cinto? Para que serve?

Para comprar um cinto temos de saber o tamanho de nossa cintura. Descubra quanto mede sua cintura com a ajuda do professor.

Depois, ajude o vendedor a arrumar os cintos para vender. Atenção: todos eles devem ter **17** furos. Complete-os desenhando os furos que faltam.

VENDENDO EM PARES

▼ O que pode ser vendido aos pares?

Observe os brincos e as sandálias e ligue-os para formar os pares.

▼ Quantos pares você formou ao todo? Escreva o número no quadrinho.

RESOLVA AS SITUAÇÕES

1. EM UMA LOJA DE CAMISETAS HAVIA **13** CAMISETAS. COM AS NOVAS PEÇAS QUE CHEGARAM, O EXPOSITOR FICOU COM **18** PEÇAS.

- QUANTAS PEÇAS CHEGARAM?

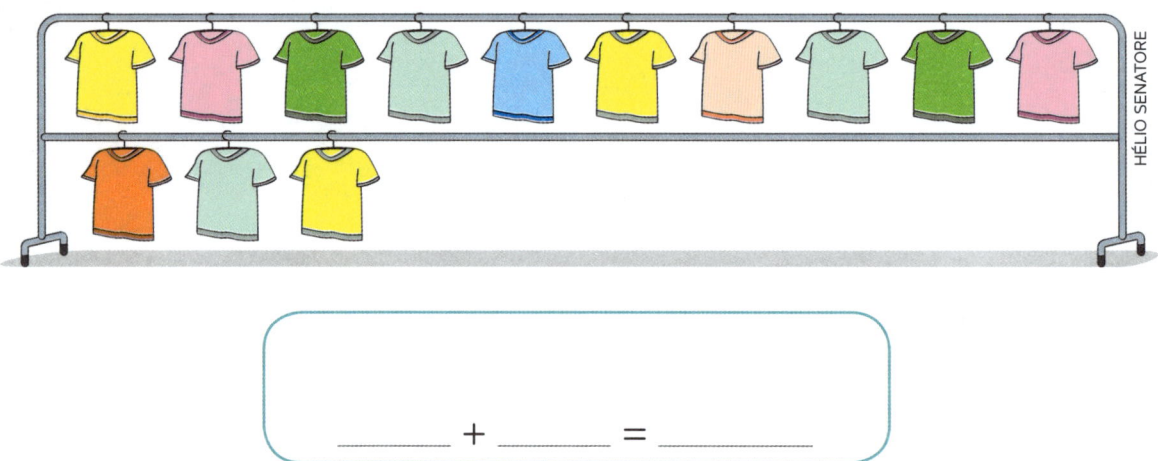

_____ + _____ = _____

2. EM UM DIA DA SEMANA, FORAM VENDIDAS **9** DAS **18** CAMISETAS.

- QUANTAS CAMISETAS AINDA RESTAM?

Ouça a leitura do professor e resolva as situações-problema.

Na primeira situação, desenhe as peças que faltam e represente a operação completando os espaços.

Na segunda situação, marque um **X** nas peças vendidas e registre a quantidade que restou no quadrinho.

TRABALHANDO NAS RUAS

TEM COMPRADOR DE PAPEL VELHO...

TILIM, TILIM...
TILIM, TILIM...

TOCANDO O SININHO
POR TODA A CIDADE
RODA, RODA A CARROCINHA.

COMPRANDO NOTÍCIAS VELHAS,
COISAS VISTAS E REVISTAS.

CAIXAS VAZIAS DE TODAS AS FORMAS:
REDONDAS, QUADRADAS, COMPRIDAS,
QUE JÁ EMBALARAM BRINQUEDOS,
SAPATOS, BOMBONS E CAMISAS.

MARCELO XAVIER. **TEM DE TUDO NESTA RUA...**
BELO HORIZONTE: FORMATO, 1990. P. 6.

▼ Que objetos o dono da carrocinha coleta? Desenhe-os ao lado do poema.
▼ Quais são as formas geométricas das caixas que ele recolhe? Diga o nome delas e represente-as com massinha de modelar.

ORGANIZANDO A COLETA

O dono da carrocinha precisa organizar as caixas que coletou.

Destaque as imagens da página 197 do encarte e cole-as acima organizando-as por tamanho, da **menor** para a **maior**.

▼ Quantas caixas o dono da carrocinha juntou?

▼ Em sua opinião, o que ele fará com tantas caixas?

AS FORMAS DAS CAIXAS

▼ Para que utilizamos caixas?
▼ As caixas podem ter formas diferentes ou são todas iguais?
   Observe a forma dessas caixas e ligue-as aos objetos que serão guardados dentro delas.
▼ Que forma geométrica elas apresentam?
   Converse com os colegas e o professor e descubra.

JUNTANDO PARA VENDER

ILUSTRAÇÕES: LUIZ LENTINI

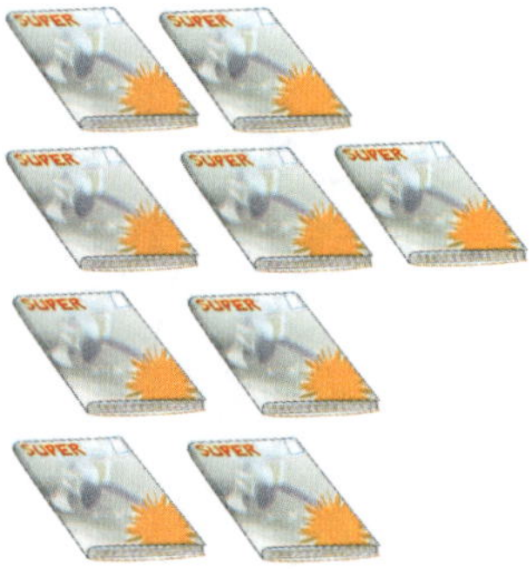

E    SÃO

E    SÃO

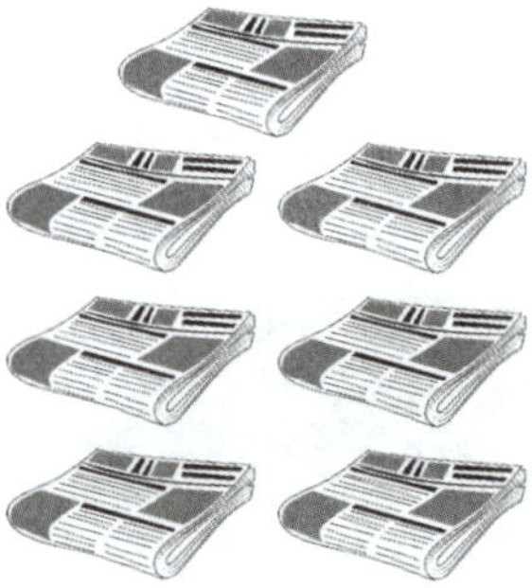

E    SÃO

▼ O que mais o dono da carrocinha recolhe?
Observe as imagens e descubra. Depois, conte os materiais que ele juntou, desenhe-os para representar a quantidade e registre o número.

▶ VITRINES PELAS RUAS

▼ Você observa vitrines de lojas quando passeia pelas ruas?
▼ Como elas são organizadas?
▼ Como você sabe o que é vendido em cada loja?

Observe as vitrines acima e descubra os produtos que cada loja vende.

Depois, destaque as imagens da página 187 do encarte e cole-as na vitrine correta.

A RUA EM QUE MIGUEL MORA

 12
ÁRVORES

 18
POSTES

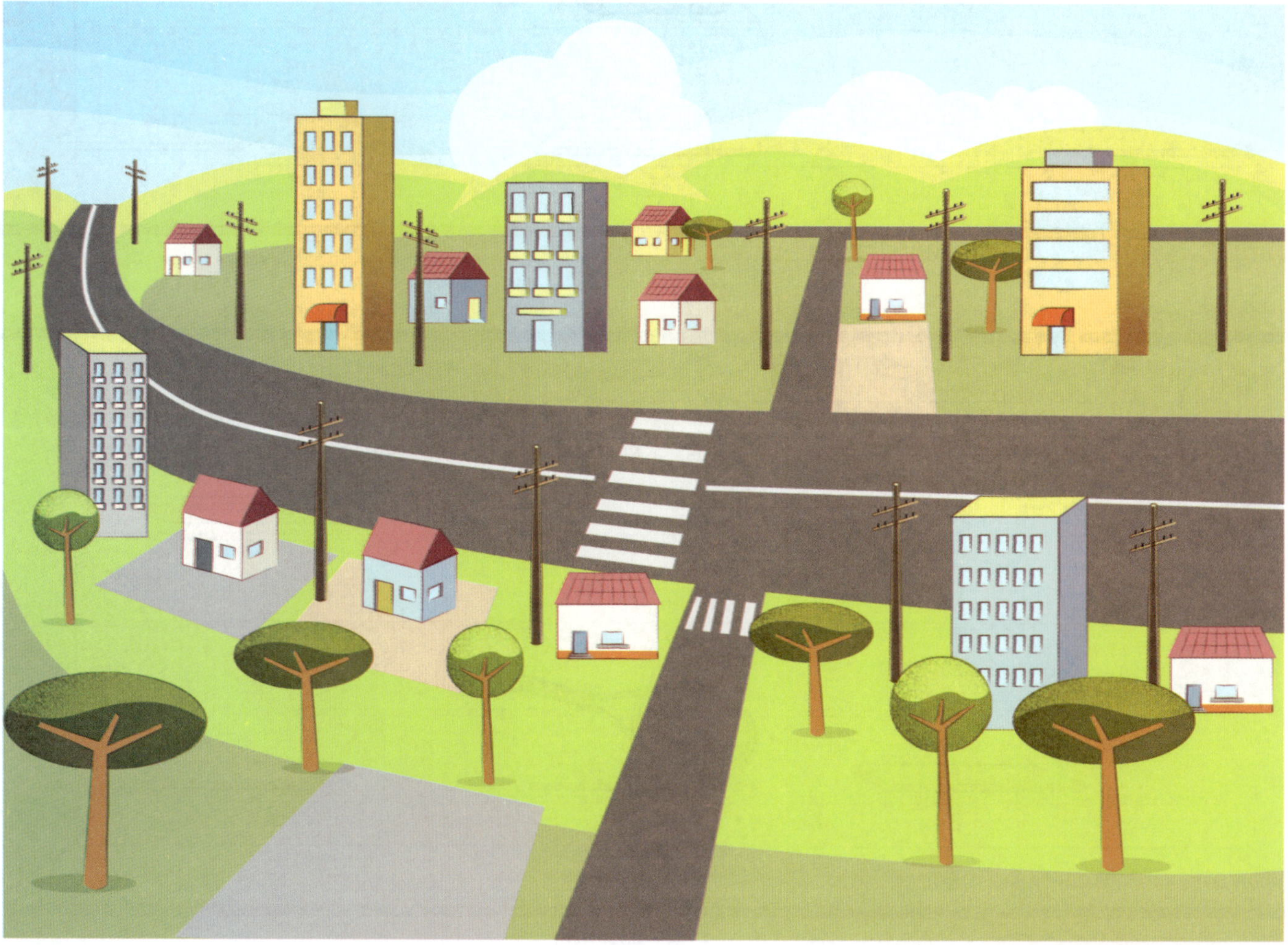

▼ Você já prestou atenção nos elementos que compõem uma rua?
▼ O que há na rua em que você mora?

Observe na imagem os elementos que existem na rua da casa de Miguel. Conte os elementos que já aparecem nela e desenhe mais elementos para completar as quantidades apresentadas na legenda.

ENTRE CASAS E PRÉDIOS

1. OBSERVE AS MORADIAS DESTA RUA E ENCONTRE A CASA EM QUE PAULO MORA. DICA: A CASA DELE É A **QUARTA** CASA DA **ESQUERDA** PARA A **DIREITA**. MARQUE-A COM UM **X**.

2. OBSERVE A CASA AMARELA. QUANTAS CASAS HÁ DO LADO **ESQUERDO** DELA? CONTE-AS E ESCREVA O NÚMERO.

ILUSTRAÇÕES: HENRIQUE BRUM

▼ Você sabe descrever a localização de sua casa na rua em que mora?
Ouça as situações-problema que o professor lerá e encontre as respostas.
▼ O que há do lado **esquerdo** de sua casa?
▼ E do lado **direito**?

CIRCULANDO PELAS RUAS

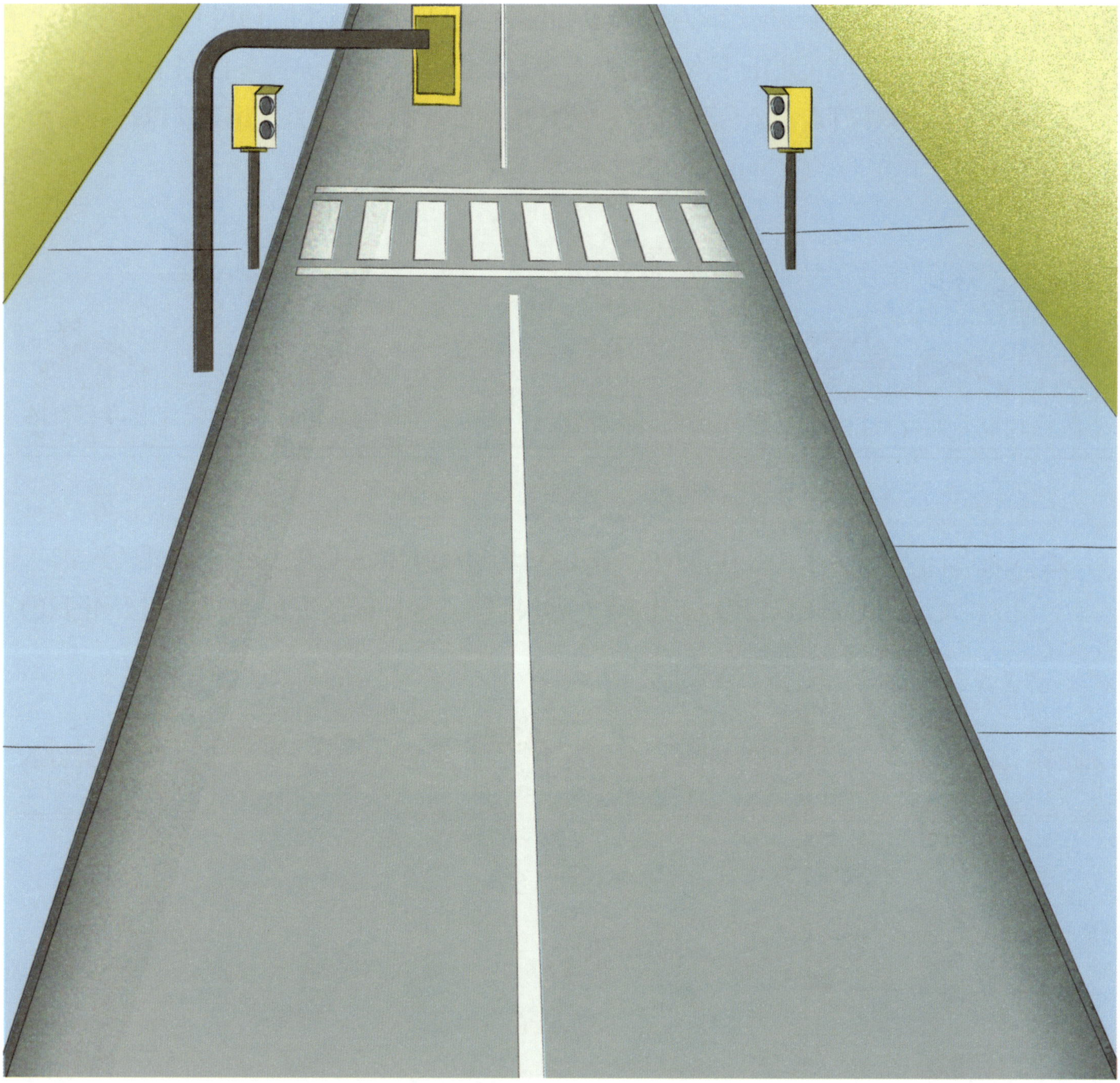

Pelas ruas, além de lojas e moradias, também encontramos meios de transporte.

▼ Que tipos de meios de transporte circulam pela rua em que você mora?

Observe a avenida ilustrada. Na faixa da **direita** devem circular somente ônibus. Desenhe **2** ônibus nessa faixa.

Na faixa da **esquerda** devem circular somente carros. Desenhe **4** carros nessa faixa.

DESAFIO!

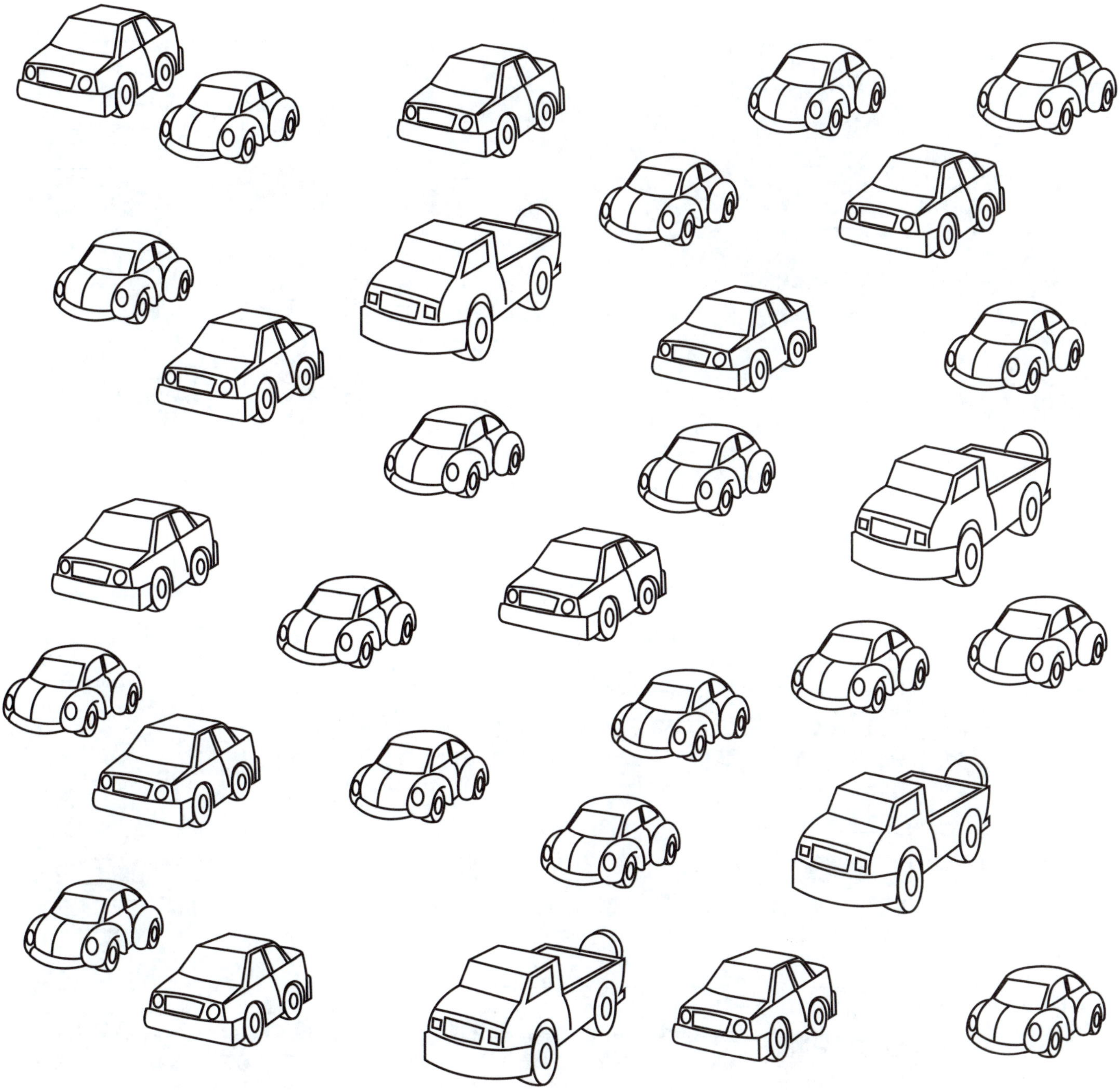

ILUSTRAÇÕES: LUIZ LENTINI

- Você gosta de desafios?
  Pinte com a mesma cor os carros de mesmo modelo.
- Quantos modelos diferentes você notou?
- Qual dos modelos há em **maior** quantidade? Quantos são?

ESTACIONANDO CARROS

Esses dois estacionamentos têm capacidades diferentes: no primeiro podem parar **15** veículos, e no segundo, **17** veículos.

▼ Quantos carros estão estacionados em cada estacionamento?

Conte os veículos que já estão estacionados e desenhe os carros que faltam para completar todas as vagas disponíveis.

▼ Quantos carros você desenhou?

SER CIDADÃO

UM PROFISSIONAL DE GRANDE VALOR

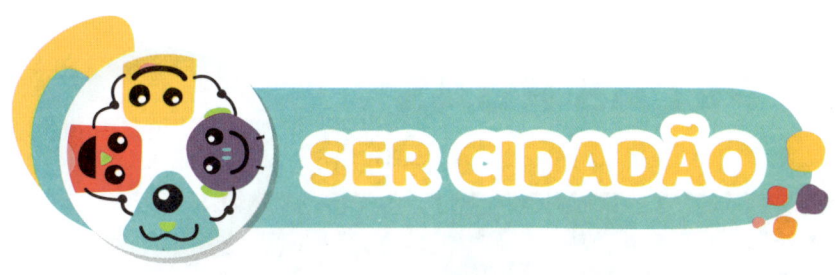

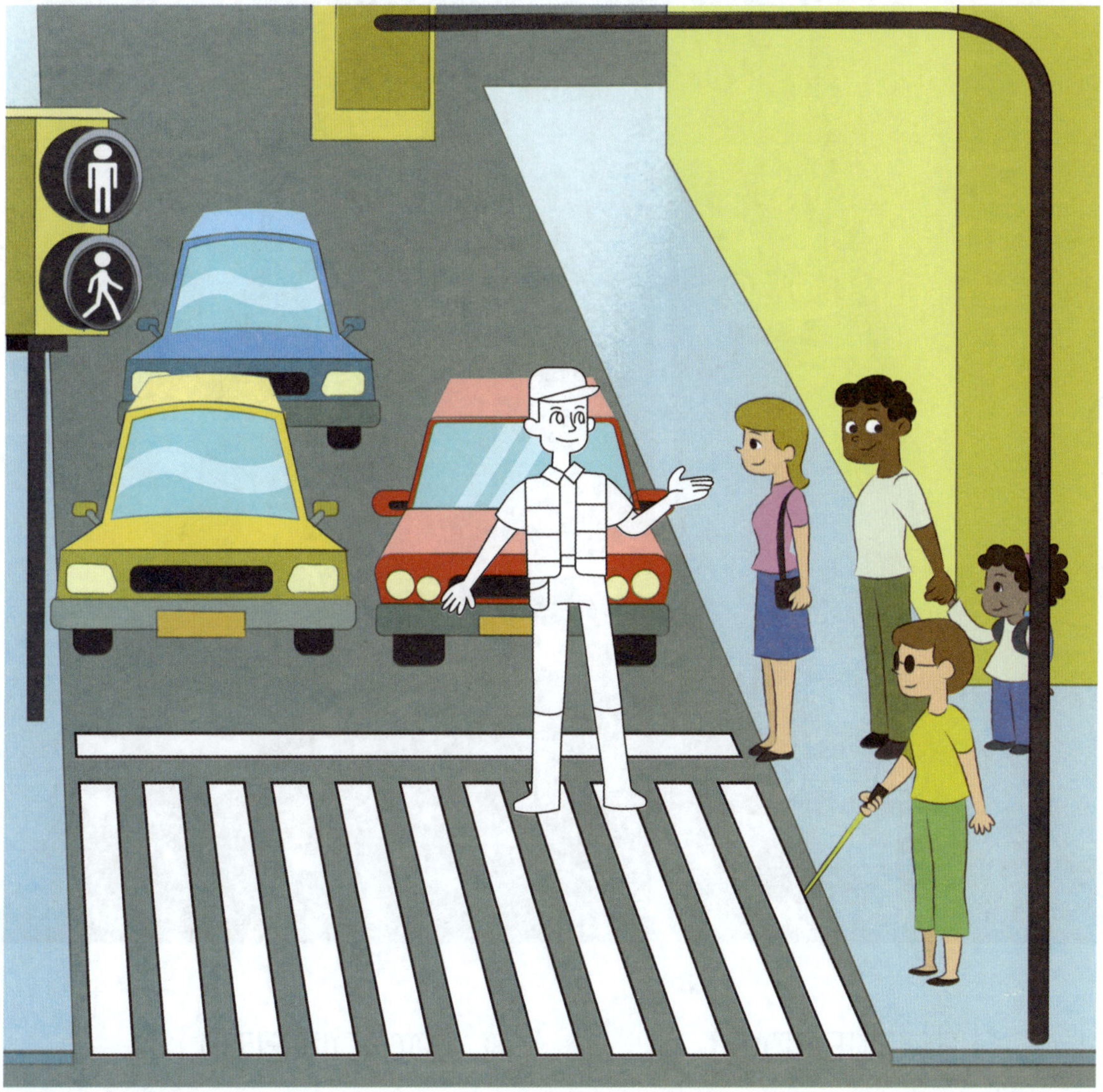
LUIZ LENTINI

- Você sabe como devemos atravessar ruas e avenidas?

Nas ruas há sinalização e profissionais que nos auxiliam a transitar com segurança.

- Você sabe qual é essa sinalização? E quem são esses profissionais?

Pinte o guarda de trânsito. Depois, pinte de **amarelo** a faixa de segurança em que as pessoas devem atravessar a rua, e pinte o semáforo para pedestres com a cor que indica passagem livre.

Converse sobre isso com os colegas e o professor.

CICLISTAS PASSAM PELAS RUAS

LADO ESQUERDO ☐   LADO DIREITO ☐

▼ Em sua cidade há ciclovias? Para que elas servem? Observe essa rua e identifique a ciclovia.

▼ De que lado da imagem está a ciclovia? Marque um **X** no quadrinho correspondente.

▼ Quantos ciclistas estão na ciclovia?

A RUA É SINALIZADA

PARE

CIRCULAÇÃO EXCLUSIVA DE BICICLETAS

PROIBIDO VIRAR À DIREITA

PROIBIDO BUZINAR

PROIBIDO ESTACIONAR

PERMITIDO ESTACIONAR

ILUSTRAÇÕES: DAE

PROIBIDO VIRAR À ESQUERDA

VELOCIDADE MÁXIMA PERMITIDA

SIGA EM FRENTE

▼ Você sabe para que servem as placas de sinalização que encontramos nas ruas?

Observe os exemplos apresentados e circule as placas "Proibido virar à direita" e "Proibido virar à esquerda". Depois, converse com o professor e descubra o significado das outras placas.

OUTRA PLACA

▼ Você já viu uma placa de trânsito com a forma de um **triângulo**?
Destaque as peças da página 197 do encarte e cole-as acima formando essa placa. Depois, com a ajuda do professor, escreva no quadro o significado dela.

TRANSITANDO PELAS RUAS

Pesquise, na internet e em jornais e revistas, outros sinais de trânsito, escolha dois deles e copie-os aqui.

▼ Que sinais você escolheu?

DIVERSIDADE DE SERES

ILUSTRAÇÕES: LUIZ LENTINI

_____

_____

_____

_____

▼ Você já fez algum passeio pelo mar, de barco, navio ou canoa?
▼ Quantos seres diferentes você imagina que vivem no mar?
   Observe alguns animais marinhos e identifique-os escrevendo o nome deles da maneira que souber. Depois, conte-os e registre a quantidade nos quadrinhos.

DESCUBRA OS NOMES

1	2	3	4	5	6	7	8	9	10
A	B	C	D	E	F	G	H	I	J

11	12	13	14	15	16	17	18	19	20
K	L	M	N	O	P	Q	R	S	T

21	22	23	24	25	26
U	V	W	X	Y	Z

- PEIXE DE ÁGUA SALGADA

19	1	18	4	9	14	8	1

- PEIXE DE ÁGUA DOCE

20	21	3	21	14	1	18	5

▼ Você sabia que há peixes que vivem na água doce dos rios e peixes que vivem na água salgada dos mares?

Substitua os números por letras, de acordo com a tabela, e descubra o nome de dois peixes.

▼ Quantas letras há no nome de cada peixe?
▼ Qual é o peixe que vive na água do mar?

▶ CONTE E REGISTRE

ILUSTRAÇÕES: LUIZ LENTINI

▼ Você conhece muitas espécies de peixe? Como elas são? Conte os peixes e registre as quantidades nos quadrinhos. Depois, organize os números em **ordem crescente**, do **menor** para o **maior**, e copie-os na linha.

MUITAS ESPÉCIES...

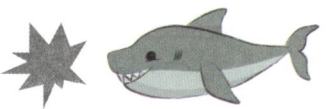

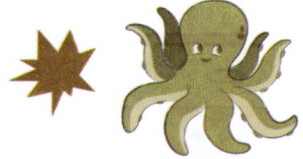

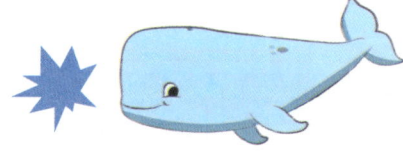

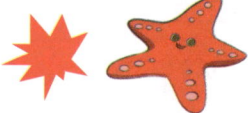

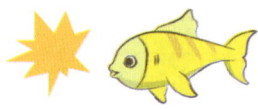

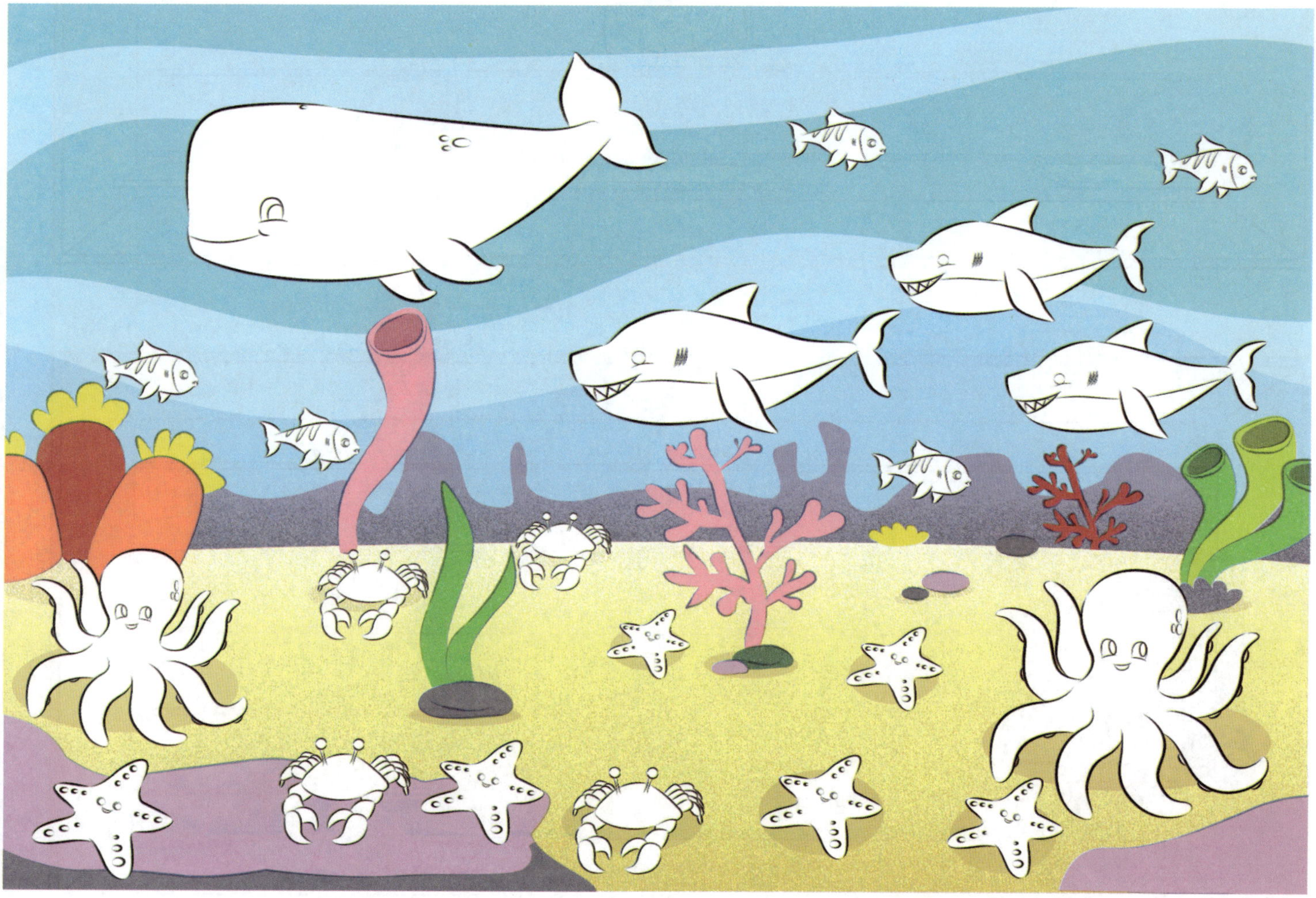

LUIZ LENTINI

- Que animais você vê na imagem?
- Em sua opinião, são **muitos** ou **poucos**?

  Pinte os animais seguindo a legenda.
- Quantos animais você pintou de cada espécie? E ao todo?

  Com o auxílio do professor, monte um gráfico em uma folha à parte para mostrar as quantidades de cada espécie que você descobriu.

MAIS QUE NÚMEROS

▶ PEIXE, PEIXINHO, PEIXÃO

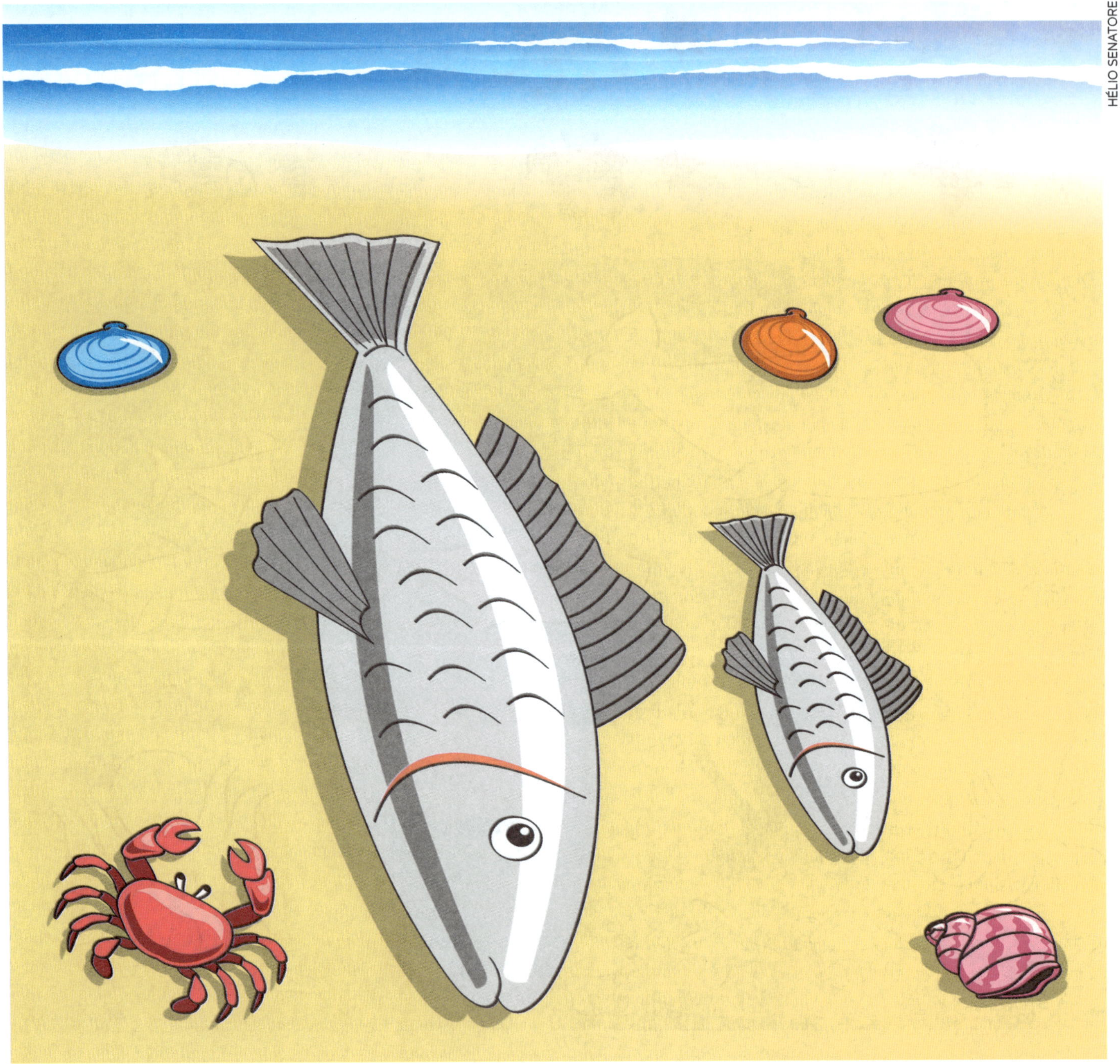

▼ Você já pescou? Gostaria de ir a uma pescaria no mar?

Veja os peixes que Joana e Carlos pescaram na beira da praia e circule o peixe **maior**.

▼ Qual desses peixes você acha que "pesa" **mais**? Por quê?

RESULTADO DA PESCARIA

AO FINAL DO DIA JOANA E CARLOS PESCARAM MUITOS PEIXES. VEJA:

JOANA

CARLOS

OS DOIS JUNTOS PESCARAM _____ PEIXES.

▼ Que materiais são necessários para pescar?
Ouça a leitura do professor. Conte os peixes que Joana e Carlos pescaram e escreva os números correspondentes nos quadrinhos. Depois, junte as quantidades para saber quantos peixes foram pescados ao todo e complete a frase.

▼ Quem pescou **mais** peixes?

1, 2, 3... CONTE OS PEIXES!

_____ + _____ = _____

Observe a imagem e, sem contar, estime a quantidade de peixes apresentada. Em seguida, conte os peixes e verifique se você acertou.

▼ Quantos peixes há na imagem?
▼ Quantos peixes eu preciso para ficar com **20** unidades?

Desenhe a quantidade de peixes necessária para completar **20** peixes. Depois, complete a adição.

▶ VOCÊ SABIA QUE...

O POLVO É UM ANIMAL MARINHO QUE TEM **3** CORAÇÕES, **8** BRAÇOS E **9** CÉREBROS. DEPENDENDO DA ESPÉCIE, PODE CHEGAR A **40** QUILOS E ATINGIR **3** METROS DE COMPRIMENTO.

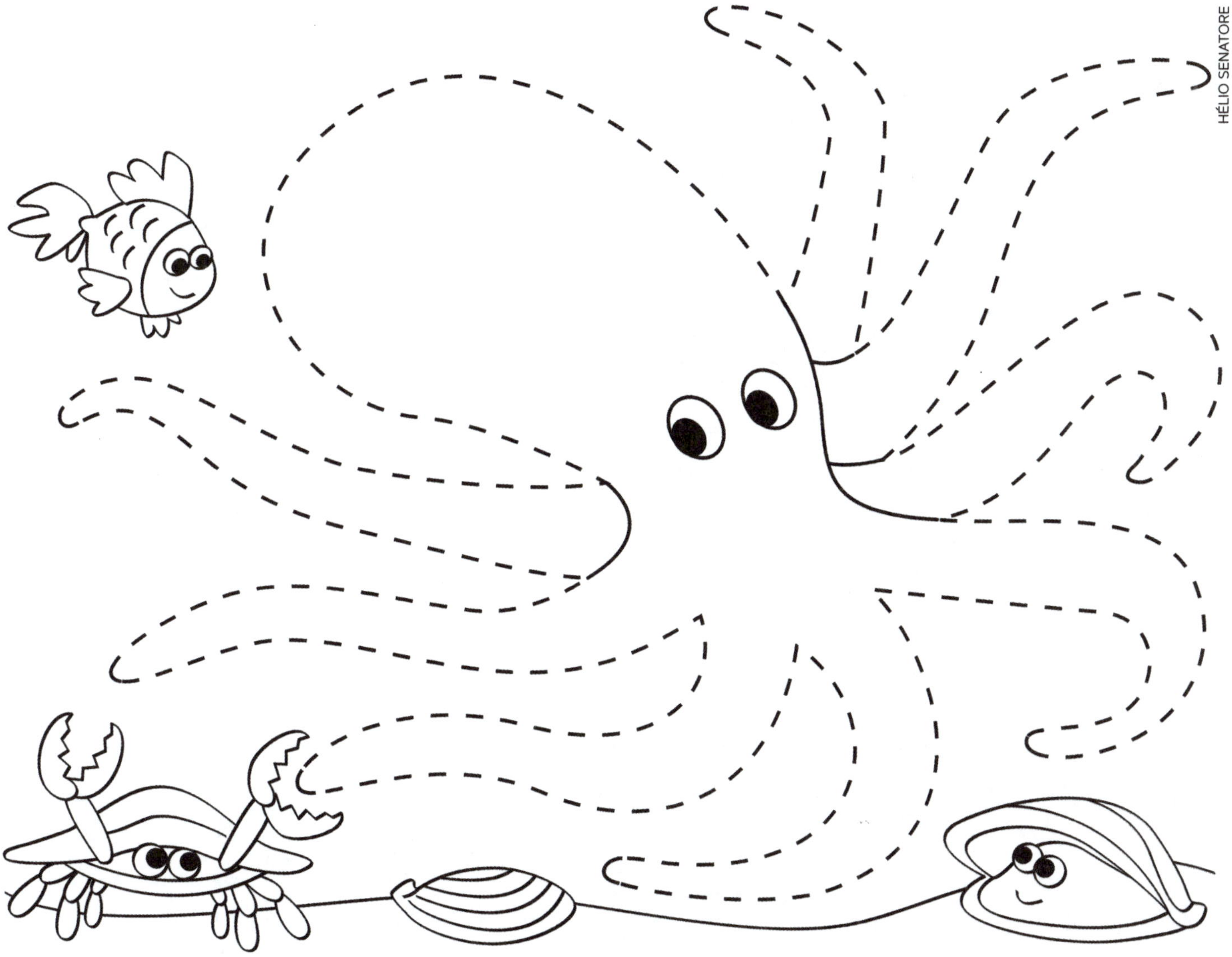

HÉLIO SENATORE

- ▼ Você já viu um polvo? Como ele é?
  Ouça a leitura do professor e cubra o tracejado para completar a figura do polvo. Depois, pinte o corpo dele.
- ▼ Quantos braços a mais o polvo precisaria ter para ficar com **1 dezena** de braços?
- ▼ E para ficar com **1 dúzia** de braços?
  Use material concreto como auxílio para fazer essa contagem.

CONTE, ACRESCENTE E REGISTRE

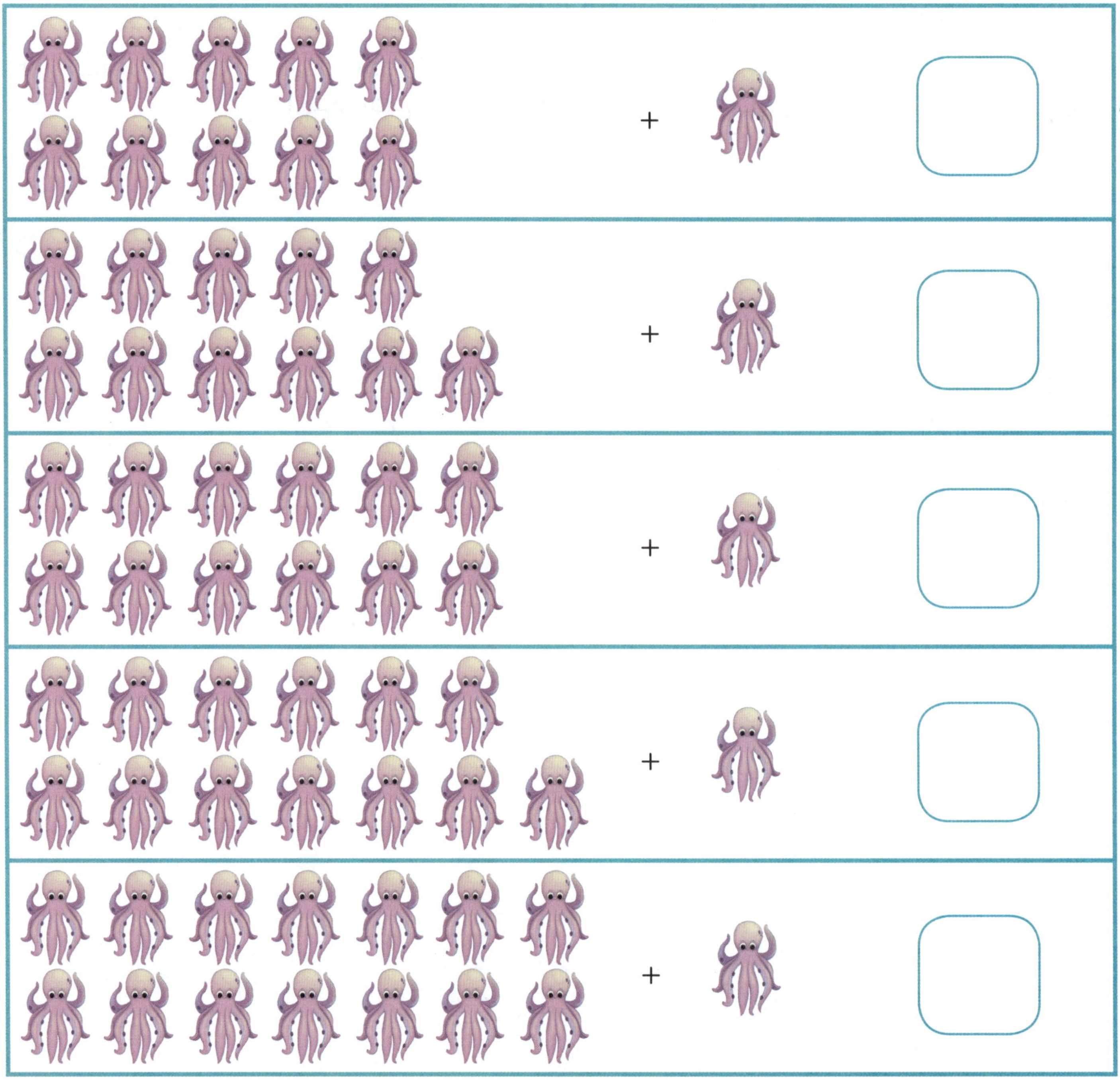

▼ Quantos polvos há em cada sequência?
Conte a quantidade de polvos em cada sequência, acrescente mais um polvo e registre nos quadrinhos o número total.

▶ CONTINUE JUNTANDO

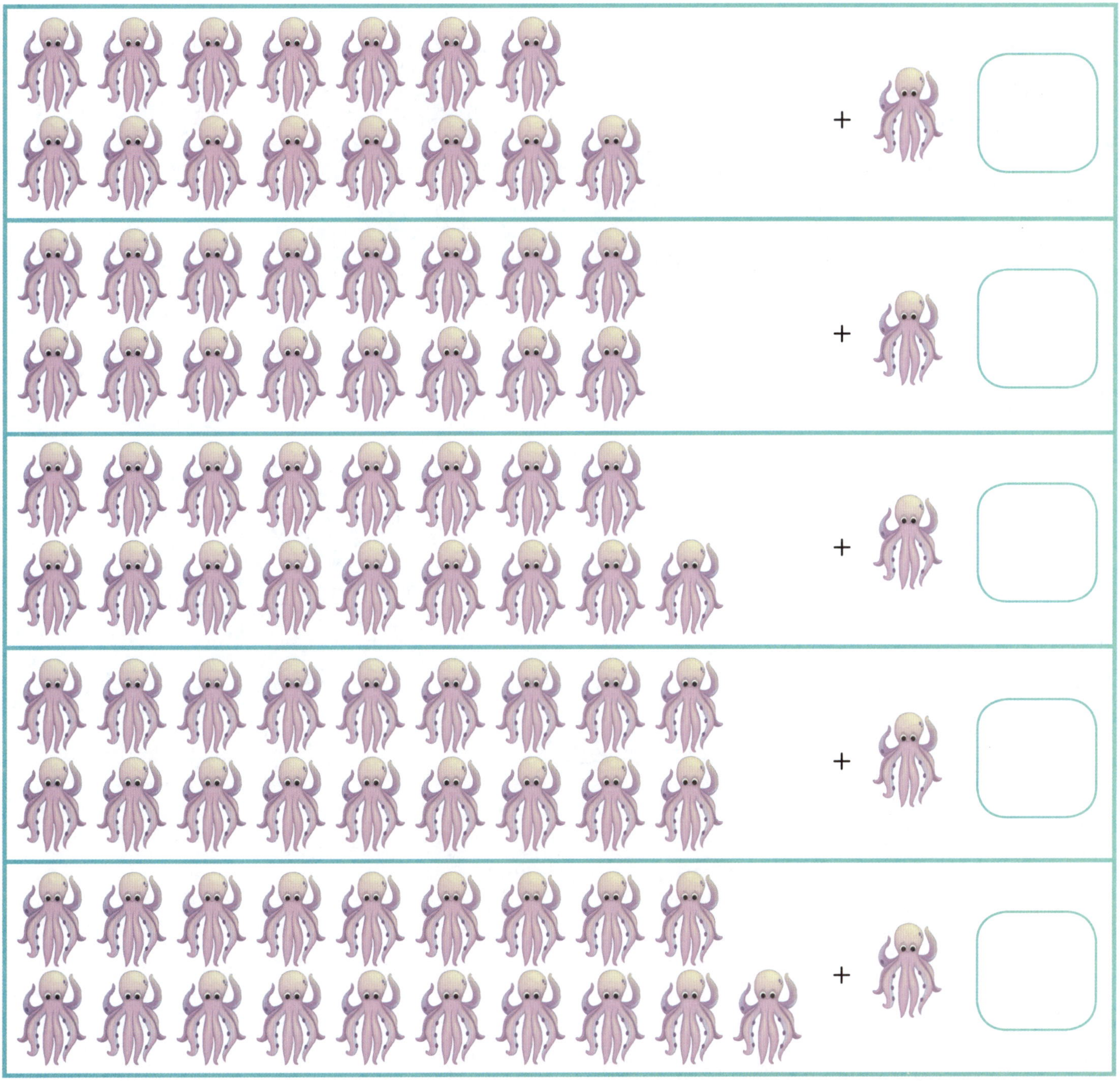

(15 polvos) + 🐙 = ☐

(16 polvos) + 🐙 = ☐

(17 polvos) + 🐙 = ☐

(18 polvos) + 🐙 = ☐

(19 polvos) + 🐙 = ☐

ILUSTRAÇÕES: LUIZ LENTINI

▼ E agora, quantos polvos há em cada sequência?
  Continue contando a quantidade de polvos em cada sequência, acrescentando mais um polvo e registrando nos quadrinhos o número total.
▼ Quais quantidades você juntou para chegar ao número **20**?

QUAL NÚMERO FALTA?

_____ 15 _____
ANTES   DEPOIS

▼ Quais números estão faltando?
Descubra os números que faltam e complete a sequência de bolhas. Depois, circule o número **15** e faça um **X** no número que vem **antes** e no que vem **depois** dele.

▼ Quais são os números vizinhos do **15**?
Copie-os nas linhas.

▶ QUAL É O FILME?

1. NESSA CENA ESTÃO REUNIDOS **2** PEIXES, NEMO E DORY, E **7** TARTARUGUINHAS.
- QUANTOS ANIMAIS APARECEM AO TODO?

_____ + _____ = _____

2. ESTAVAM TODOS CONVERSANDO QUANDO CHEGOU MAIS **1** TARTARUGA.
- QUANTOS ANIMAIS FICARAM AO TODO?

_____ + _____ = _____

Observe uma cena do filme **Procurando Nemo**.
▼ Você já assistiu a esse filme?
▼ Sabe o nome desses personagens?
Acompanhe a leitura do professor e resolva as situações-problema.

ESTRELA-DO-MAR

A ESTRELA-DO-MAR, EM GERAL, TEM **5** BRAÇOS. A BOCA FICA NO CENTRO DE SEU CORPO, NA PARTE INFERIOR. ELA ALIMENTA-SE DE PEQUENOS ANIMAIS, COMO OSTRAS E MEXILHÕES.

CAROLINA SARTÓRIO

No filme **Procurando Nemo**, uma personagem é a estrela-do-mar.
- Você sabe o que é uma estrela-do-mar?
- Já encontrou alguma estrela-do-mar na areia da praia?

Ouça algumas informações que o professor lerá sobre esse animal. Depois, observe a imagem, encontre **1 dezena** de estrelas-do-mar e marque-as com um **X**.

QUANTO É?

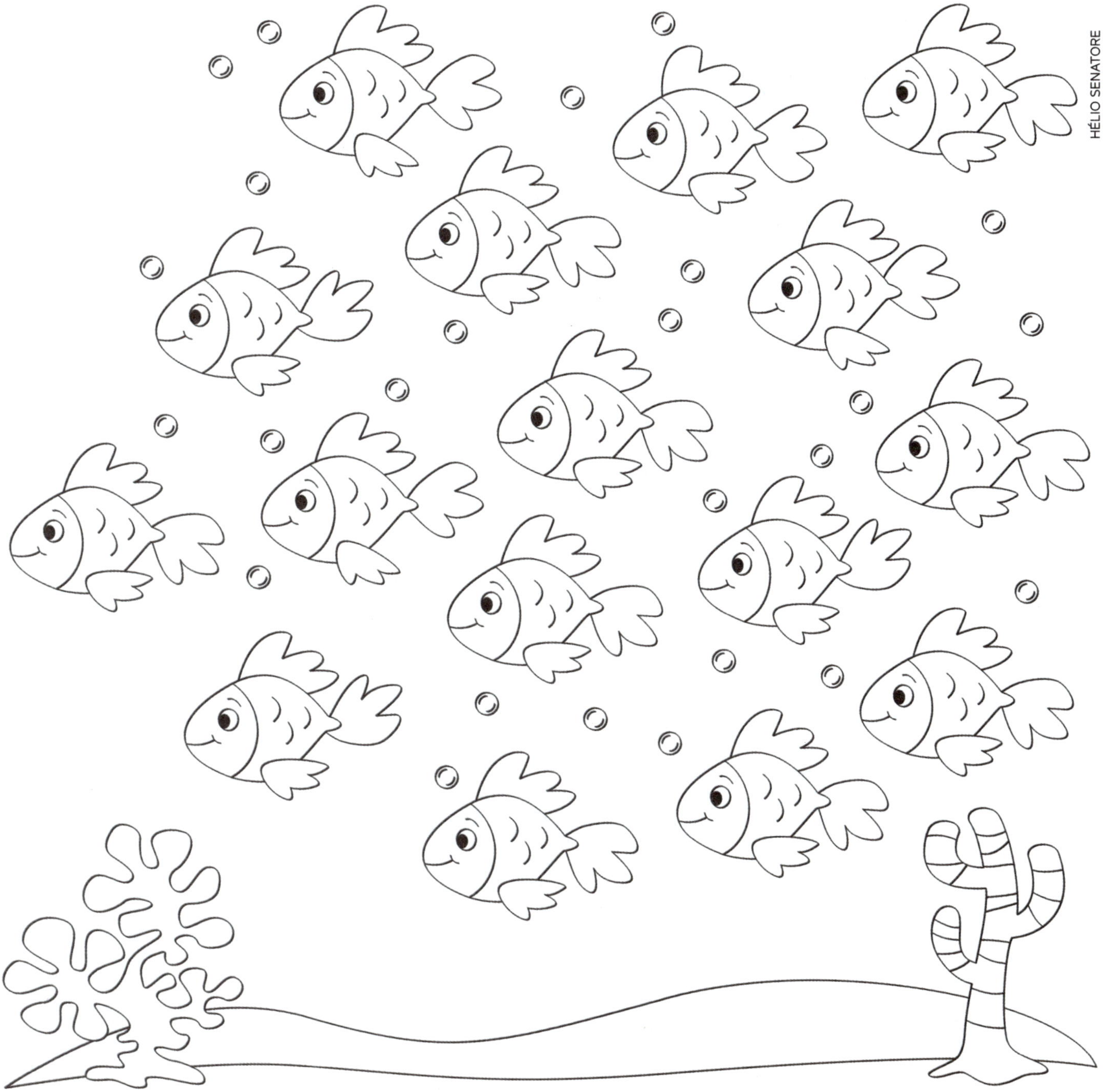

HÉLIO SENATORE

- Você sabe o que é um cardume de peixes?
  Observe os peixes desse cardume e pinte **1 dezena** de peixes.
- Quantos peixes você pintou?

CARANGUEJO NÃO É PEIXE NÃO!

CARANGUEJO

CARANGUEJO NÃO É PEIXE,
CARANGUEJO PEIXE É;
CARANGUEJO SÓ É PEIXE
NA ENCHENTE DA MARÉ.

CANTIGA.

— QUANTOS CARANGUEJOS VOCÊ COLOU?

▼ Você já viu um caranguejo? Quantas patas ele tem?
Cante a música com os colegas e o professor. Depois, destaque os caranguejos da página 199 do encarte e cole-os ao redor da música.

▼ Quantos caranguejos você colou?
Escreva o número correspondente no quadrinho.

MUITAS PATAS PARA CONTAR

- VOCÊ SABIA QUE O CARANGUEJO TEM **5 PARES** DE PATAS?

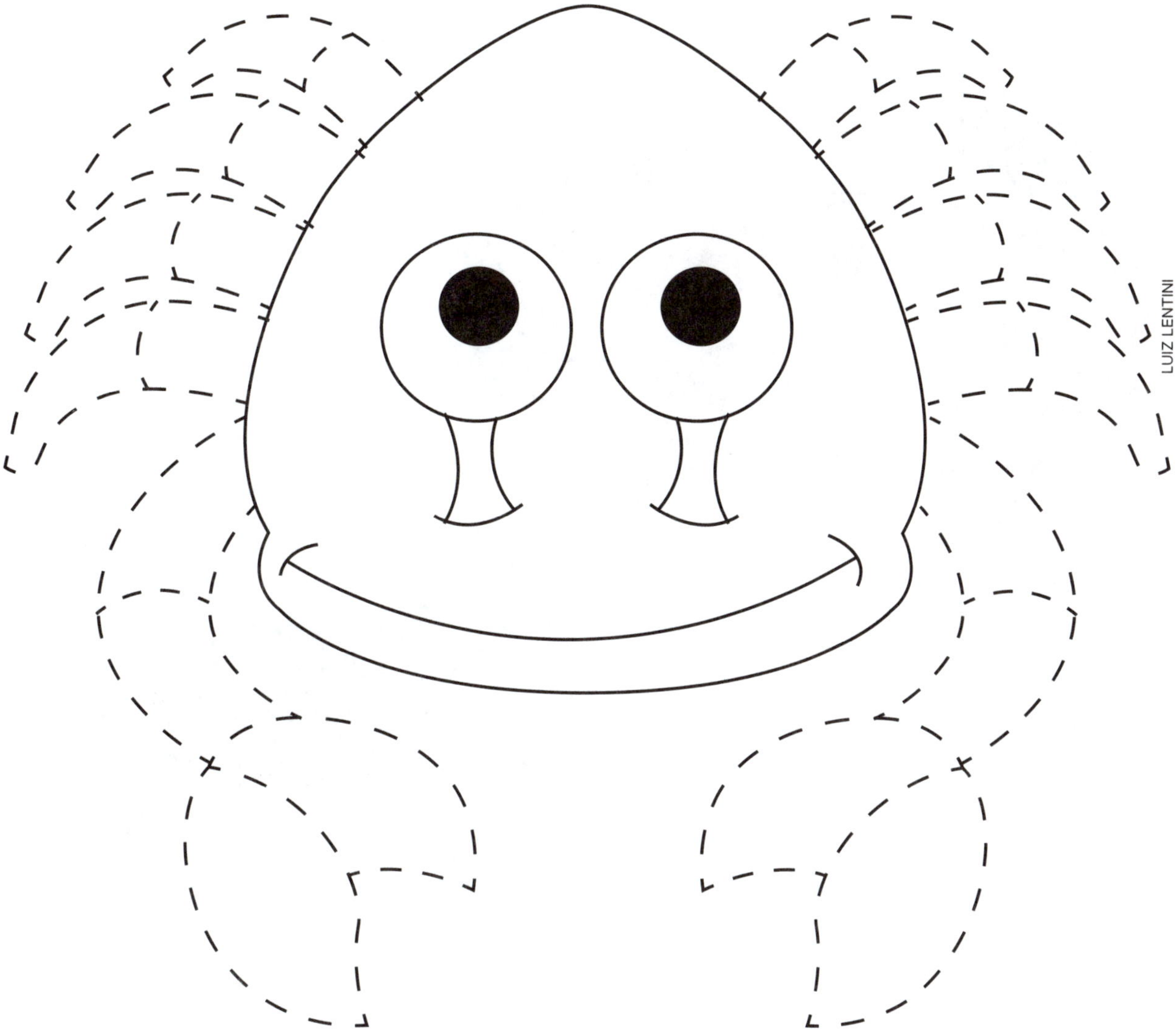

- **5 PARES** DE PATAS É IGUAL A _____ PATAS NO TOTAL.

▼ Para que servem as patas de um animal?
Converse com os colegas e o professor.
Depois, cubra o tracejado das patas do caranguejo e pinte-o. Por último, conte as patas dele e complete a frase com o número correspondente.

▶ DESAFIO!

VOCÊ JÁ SABE QUE UM CARANGUEJO TEM **10** PATAS.
- QUANTAS PATAS TÊM **2** CARANGUEJOS JUNTOS?

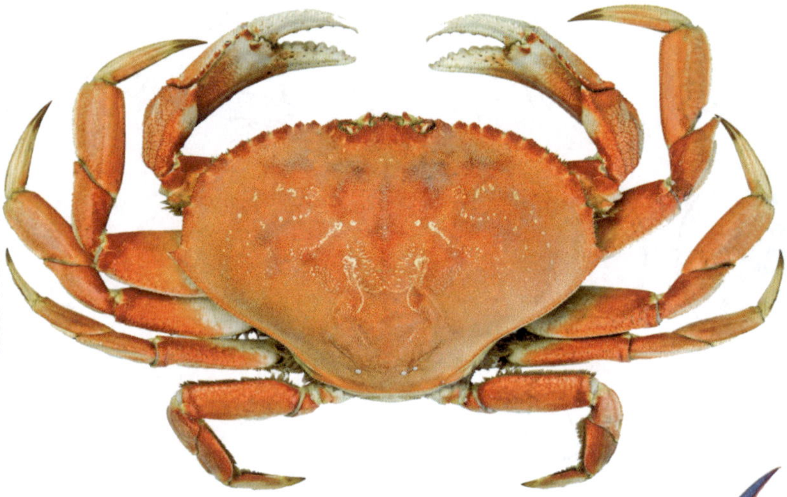

| 10 PATAS | 15 PATAS | 20 PATAS |

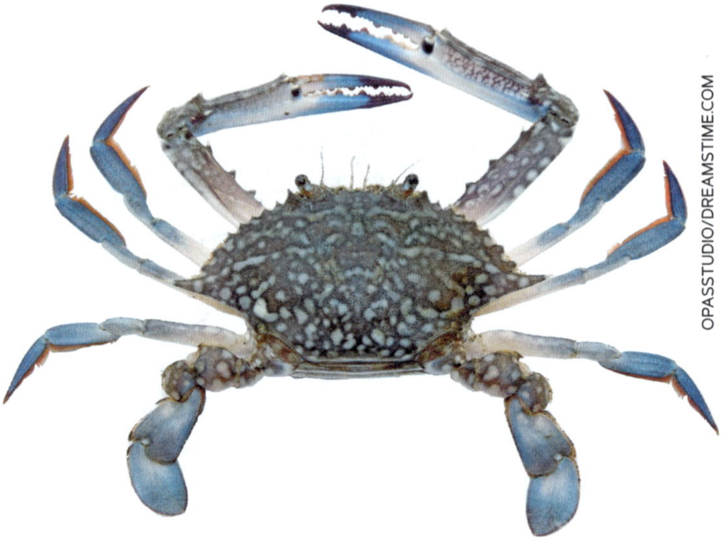

▼ É possível saber a quantidade de patas de **2** caranguejos juntos, sem contar?
Faça uma estimativa e depois conte as patas dos **2** caranguejos para verificar se acertou.

▼ Sua estimativa se aproximou da quantidade certa?
Pinte o quadro que representa a quantidade de patas dos **2** caranguejos juntos.

QUEM É ESTE?

O CAVALO-MARINHO É UMA ESPÉCIE DE PEIXE QUE TEM A CAPACIDADE DE MUDAR DE COR. A ÉPOCA DE SUA REPRODUÇÃO É A PRIMAVERA. A FÊMEA BOTA DIVERSOS OVOS QUE SÃO FERTILIZADOS PELO MACHO. DEPOIS ELE GUARDA OS OVOS NUMA BOLSA (NA BASE DA CAUDA) ATÉ O NASCIMENTO. APÓS NASCEREM, OS FILHOTES JÁ ESTÃO PRONTOS PARA NADAR E PROCURAR ALIMENTO.

ILUSTRAÇÕES: LUIZ LENTINI

HAVIA _____ CAVALOS-MARINHOS. DESENHEI MAIS _____.

AGORA HÁ _____ CAVALOS-MARINHOS.

▼ Você já viu um cavalo-marinho? Onde eles vivem?
Ouça a leitura do professor e conheça melhor esse animal. Depois, desenhe mais **8** cavalos-marinhos na página e complete as frases com os números pedidos.

QUAL É A QUANTIDADE?

 +  = ☐

 +  = ☐

 = ☐

 = ☐

 +  = ☐

 +  = ☐

▼ Quantos cavalos-marinhos há?
Para resolver as situações, conte os cavalos-marinhos e junte as quantidades. Registre os números nos locais indicados.

QUE ANIMAL ENORME!

_____

_____

_____

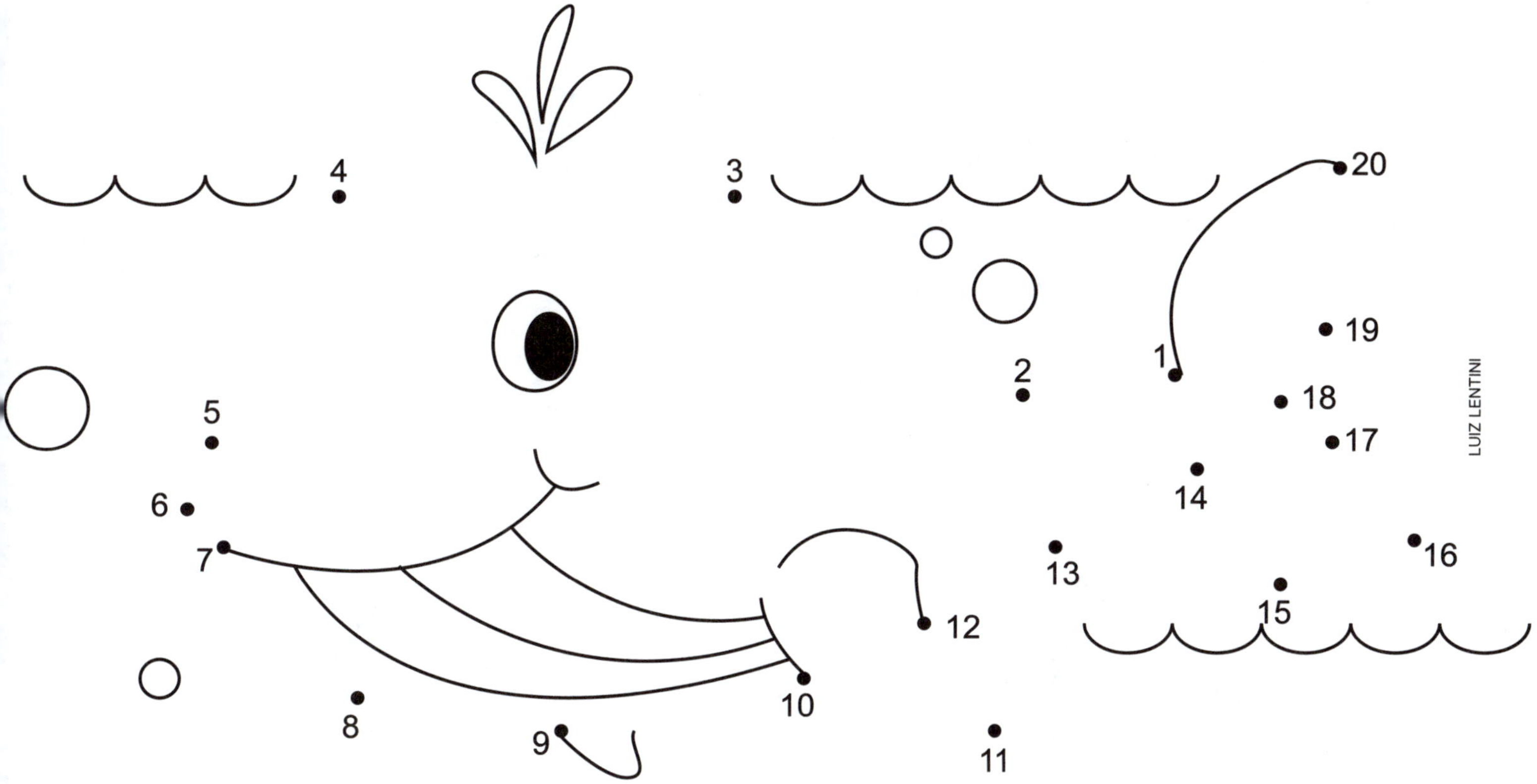

▼ Você sabe que animal marinho é esse?

Ligue os pontos na **ordem crescente** dos números e descubra. Depois, pinte-o.

▼ Você sabia que a baleia é um mamífero? Quanto você imagina que "pesa" uma baleia?

Com os colegas e o professor, pesquisem informações sobre as baleias na biblioteca da escola e copie nas linhas acima o que achar mais interessante.

▶ PEIXE NA ALIMENTAÇÃO

PÃO COM PATÊ DE ATUM

INGREDIENTES:

- 2 LATAS DE ATUM;
- 4 COLHERES DE MAIONESE;
- 1 COLHER DE SALSINHA PICADA;
- 6 FATIAS DE PÃO OU TORRADAS.

MODO DE PREPARO

1 PEÇA A UM ADULTO QUE ABRA AS LATAS DE ATUM E DESPEJE O CONTEÚDO EM UMA TIGELA.

2 AMASSE O ATUM COM GARFO.

ILUSTRAÇÕES: LUIZ LENTINI

3 JUNTE A SALSINHA, A MAIONESE E MISTURE TUDO.

4 ESTÁ PRONTO O PATÊ! SABOREIE-O PASSANDO EM FATIAS DE PÃO OU TORRADAS.

▼ Você já comeu alimentos preparados com peixes ou frutos do mar?
▼ Você gosta de comer peixe?
▼ Sabia que o atum é um peixe de água salgada?
   Faça essa receita com os colegas e o professor. Não se esqueça de prestar atenção às quantidades indicadas.

VAMOS AUMENTAR A RECEITA?

INGREDIENTES PARA UMA RECEITA:	INGREDIENTES PARA DUAS RECEITAS:
• 2 LATAS DE ATUM;  	• _____ LATAS DE ATUM;
• 4 COLHERES DE MAIONESE; 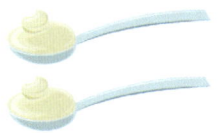 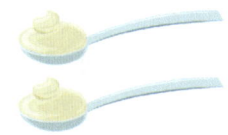	• _____ COLHERES DE MAIONESE;
• 1 COLHER DE SALSINHA PICADA;	• _____ COLHERES DE SALSINHA PICADA;
• 6 FATIAS DE PÃO OU TORRADAS. 	• _____ FATIAS DE PÃO OU TORRADAS.

ILUSTRAÇÕES: LUIZ LENTINI

As outras turmas da escola também querem provar o patê de atum. Para que todos possam comê-lo é preciso fazer duas receitas. Para isso, aumente a quantidade de ingredientes.

Desenhe as novas quantidades e registre-as com números também.

▼ Que tal organizar um lanche coletivo para todos experimentarem o patê?

PEIXES ORNAMENTAIS

▼ Você sabe o que são peixes ornamentais? Já visitou alguma loja especializada na criação e venda desse tipo de peixe?

Observe os aquários de uma loja e preste atenção ao formato deles. Depois, destaque os sólidos geométricos da página 199 do encarte e cole-os ao lado do aquário que tem forma semelhante.

QUANTOS SÃO?

▼ Quantos peixes há em cada aquário?

Ligue cada aquário ao número que representa a quantidade correspondente de peixes.

Depois, circule o aquário que representa **ausência** de quantidade e faça um **X** no que representa **1 dúzia** de peixes.

SER CIDADÃO

ESSES SÍMBOLOS INFORMAM QUE É PROIBIDO PESCAR!

VOCÊ SABIA QUE HÁ LEIS QUE PROÍBEM A PESCA EM DETERMINADA ÉPOCA DO ANO? ESSA MEDIDA É NECESSÁRIA PARA QUE OS PEIXES POSSAM SE REPRODUZIR.

NA REGIÃO DO PANTANAL, POR EXEMPLO, A PESCA É PROIBIDA DE NOVEMBRO A FEVEREIRO.

JANEIRO	FEVEREIRO	MARÇO	ABRIL
MAIO	JUNHO	JULHO	AGOSTO
SETEMBRO	OUTUBRO	NOVEMBRO	DEZEMBRO

▼ Em sua opinião, o que significam esses símbolos?

Ouça a leitura do professor. Depois, observe a tabela e marque com um **X** os meses em que a pesca é proibida na região do Pantanal.

▼ Que meses você assinalou?

TAREFA PARA CASA 1

▶ CONTANDO QUANTIDADES

8 lápis	6
3 apontadores	2
6 cadernos	4
7 potes de tinta	5

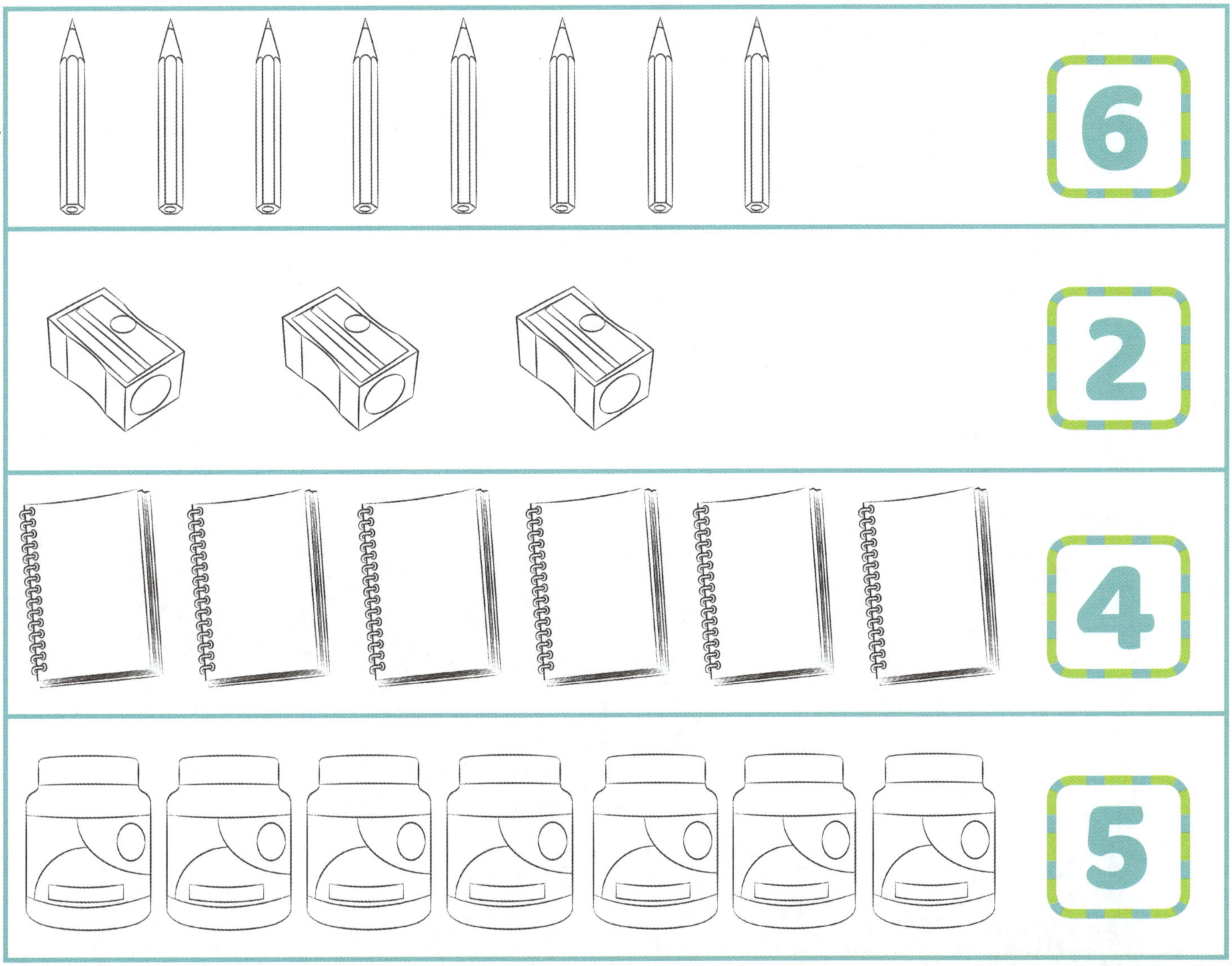

Observe as imagens e pinte as quantidades de acordo com o número indicado.

▼ Qual material escolar você pintou **menos** vezes?

TAREFA PARA CASA 2

▶ SEQUÊNCIA NUMÉRICA

QUE NÚMERO VEM DEPOIS DO NÚMERO **9**?

Complete a sequência dos números de **1** a **9**. Depois, responda à pergunta escrevendo o número pedido.

▼ Que número você escreveu?

Recorte figuras de jornais ou revistas e cole-as na página na quantidade correta para representar o número que você descobriu.

TAREFA PARA CASA 3

▶ QUANTO É UMA DÚZIA?

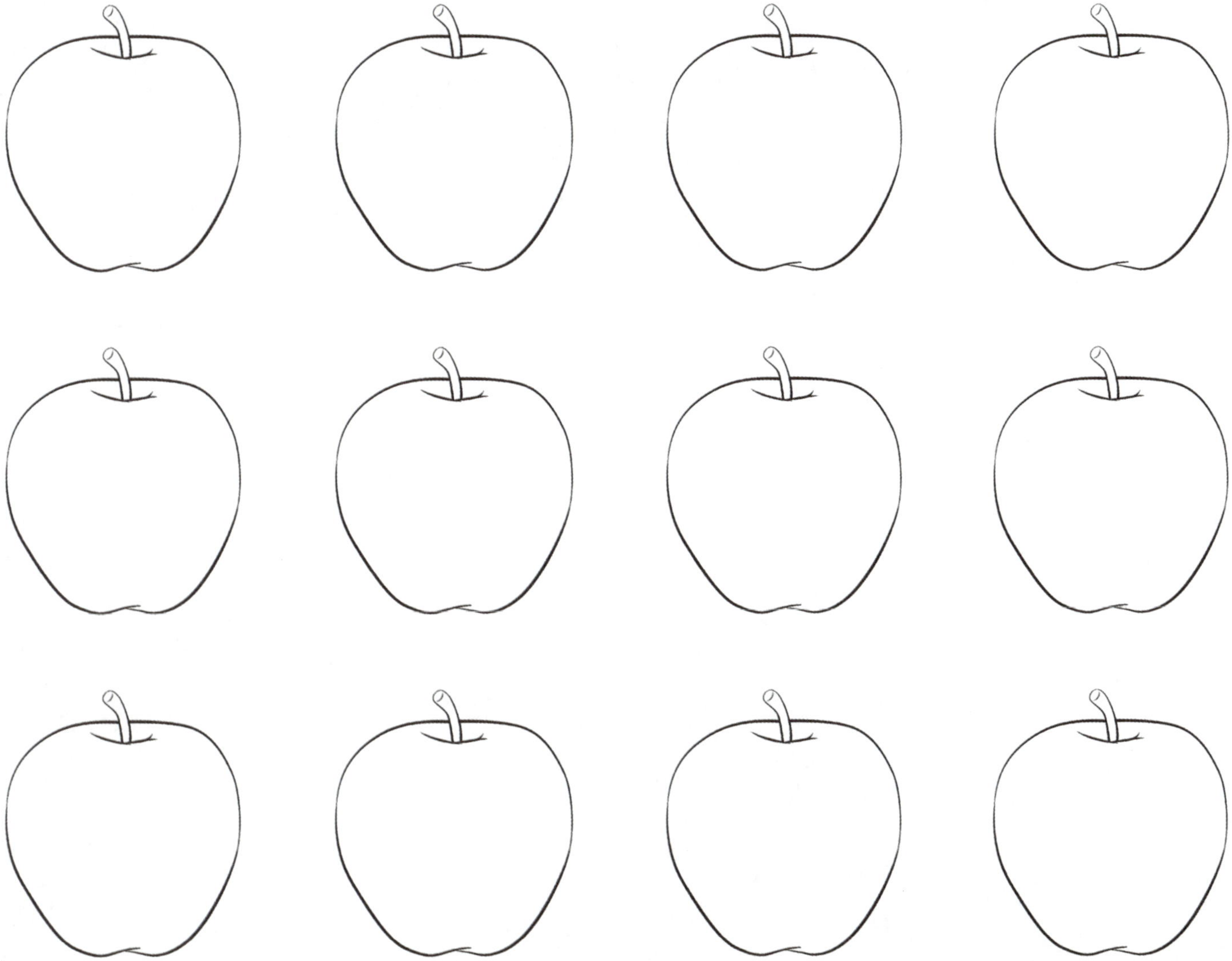

- ▼ Você sabe quanto é **1 dúzia**?
  Pinte **1 dúzia** de maçãs.
- ▼ Quantas maçãs você pintou?
- ▼ Que número representa essa quantidade?

  Com a ajuda de um adulto, faça uma pesquisa para descobrir que outros alimentos podem ser comprados em **dúzia**.

TAREFA PARA CASA 4

▶ IDENTIFICANDO TAMANHOS

1. CIRCULE OS JOGADORES DO **MESMO TAMANHO**.
2. FAÇA UM **X VERDE** NO JOGADOR MAIS **ALTO**.
3. FAÇA UM **X AZUL** NO JOGADOR MAIS **BAIXO**.
4. ESCREVA NO QUADRINHO QUANTOS JOGADORES HÁ NESTE TIME.

ILUSTRAÇÕES: ALEX CÓI

▼ Que esporte essas crianças praticam? Você também gosta desse jogo?
Essas crianças formam o time de basquete da escola.
Peça a um adulto que leia as instruções para você e, então, faça o que se pede.

TAREFA PARA CASA 5

AMIGOS COLECIONADORES

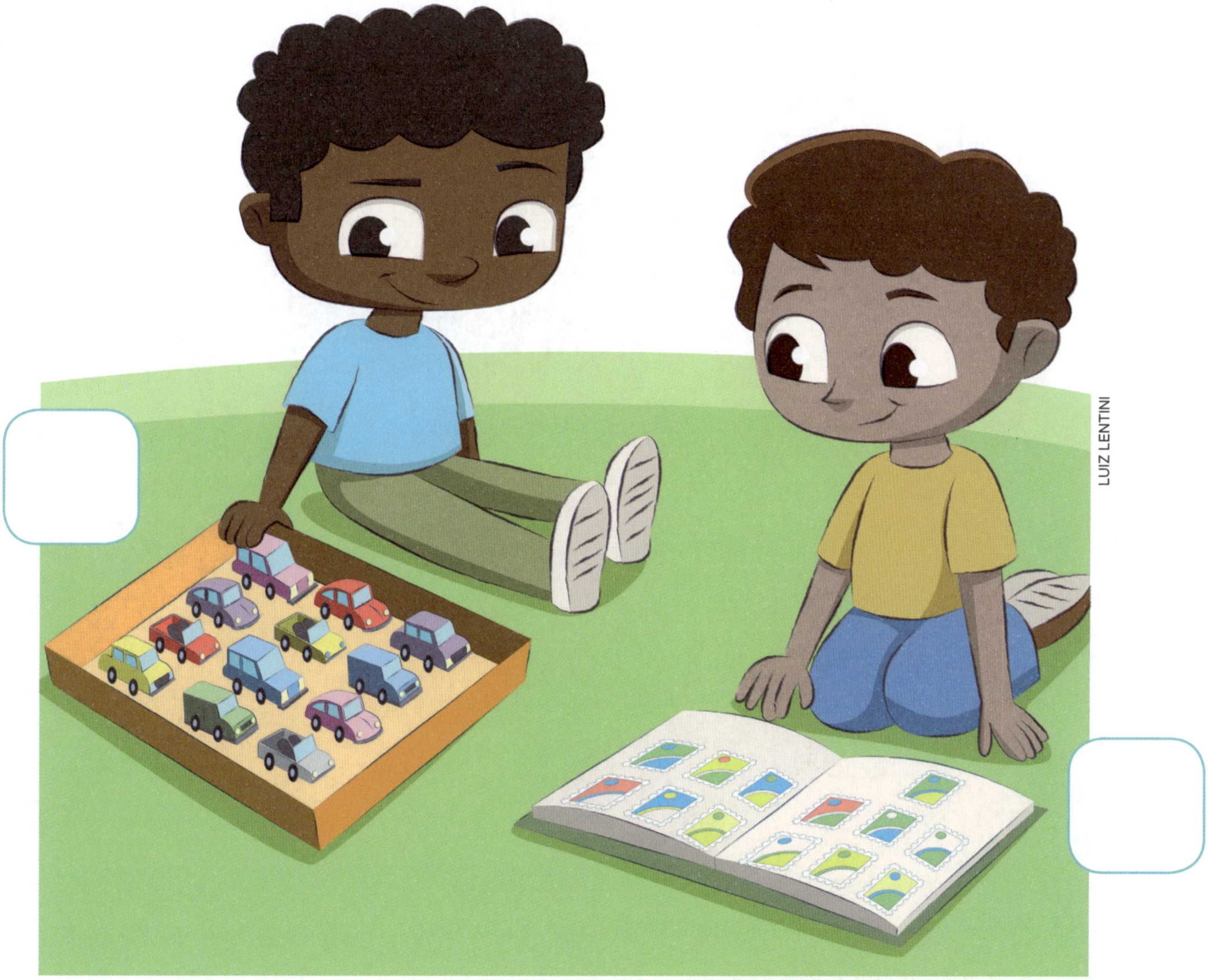

Observe as coleções de Davi e Carlos.
▼ Qual delas você gostaria de ter?

Conte os objetos colecionados e registre as quantidades nos quadrinhos. Depois, circule o colecionador de carrinhos.

▶ COLECIONANDO COISAS

▼ Que elementos compõem essas coleções?

Observe o número indicado e desenhe a quantidade de elementos que faltam para completar as coleções.

TAREFA PARA CASA 7

▶ O QUE LEVAR NA MALA?

ILUSTRAÇÕES: LUIZ LENTINI

Marieta passará as férias de verão na praia. Ajude-a a arrumar a mala pintando as roupas que ela deverá levar. Depois, conte quantas peças você pintou e escreva o número no quadrinho.

▼ Você gosta de viajar?
▼ Já foi à praia?

TAREFA PARA CASA 8

▶ A FORMA DA RODA-GIGANTE

▼ Que forma tem a roda-gigante?
▼ Você conhece outros objetos que têm a mesma forma da roda-gigante?

Desenhe acima objetos que tenham a forma circular.

TAREFA PARA CASA 9

BARRAQUINHA DE SEU JOAQUIM

▼ O que é vendido na barraquinha de seu Joaquim?

Pinte **8** doces expostos nas prateleiras que estão **na frente** do vendedor.

TAREFA PARA CASA 10

▶ JOGO DAS 7 DIFERENÇAS

▼ Você conhece o "jogo das 7 diferenças"?
Observe as cenas, identifique **7** diferenças entre elas e marque-as com um **X**.

TAREFA PARA CASA 11

▶ CONTE, REGISTRE E RESPONDA

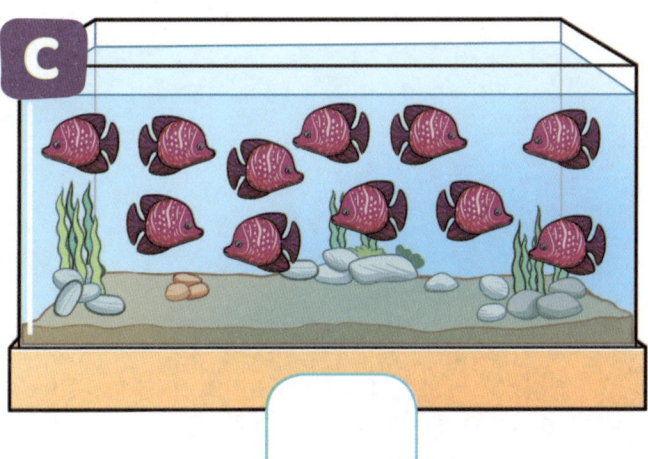

Conte os peixes de cada aquário e escreva a quantidade encontrada. Depois, responda às questões a seguir oralmente.

1. Compare a quantidade de peixes dos aquários **A** e **B**. Em qual deles há mais peixes?
2. Quantos peixes faltam no aquário **C** para completar **20** unidades?
3. O aquário **D** tem **1 dezena** ou **1 dúzia** de peixes?

TAREFA PARA CASA 12

▶ VAMOS CONTAR?

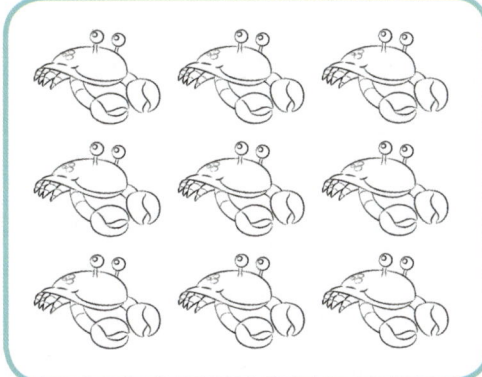

 9
 15
 11
 6
20
2

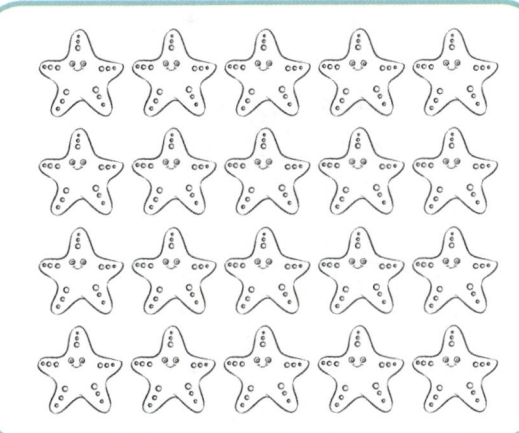

▼ Você sabe quantas figuras há em cada grupo sem contar as quantidades?

Faça uma estimativa. Depois, conte os animais e ligue cada grupo ao número correspondente.

Por fim, pinte o grupo que tem **mais** figuras.

ENCARTES DE ADESIVO

PÁGINA 13

PÁGINA 15

PÁGINAS 28 E 29

PÁGINAS 28 E 29

PÁGINA 49

PÁGINA 61

PÁGINAS 54 E 55

PÁGINAS 78 E 79

PÁGINA 91

PÁGINA 115

PÁGINAS 102 E 103

PÁGINAS 102 E 103

ENCARTES DE PICOTE

PÁGINA 21

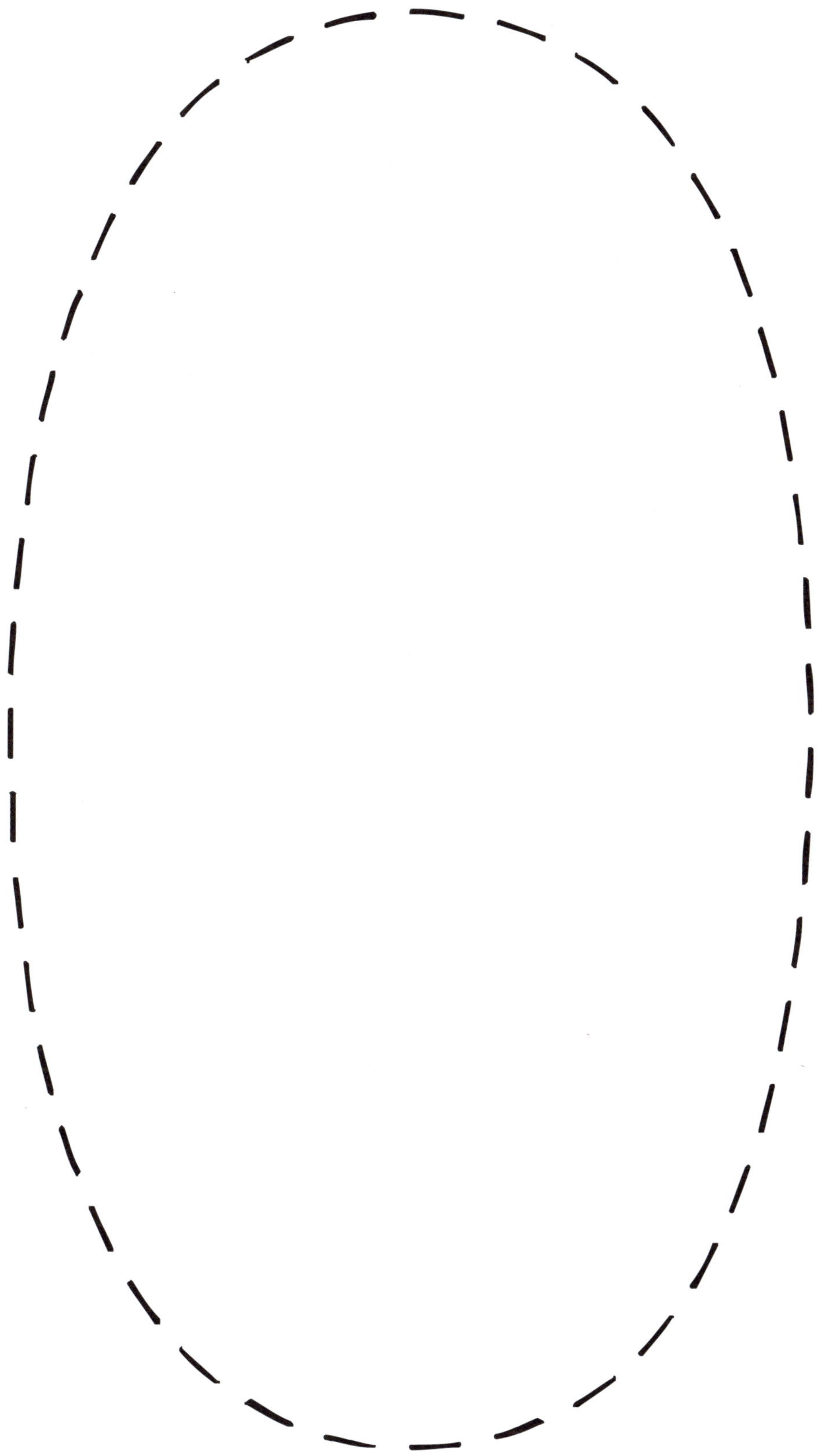

PÁGINA 50

PÁGINA 112

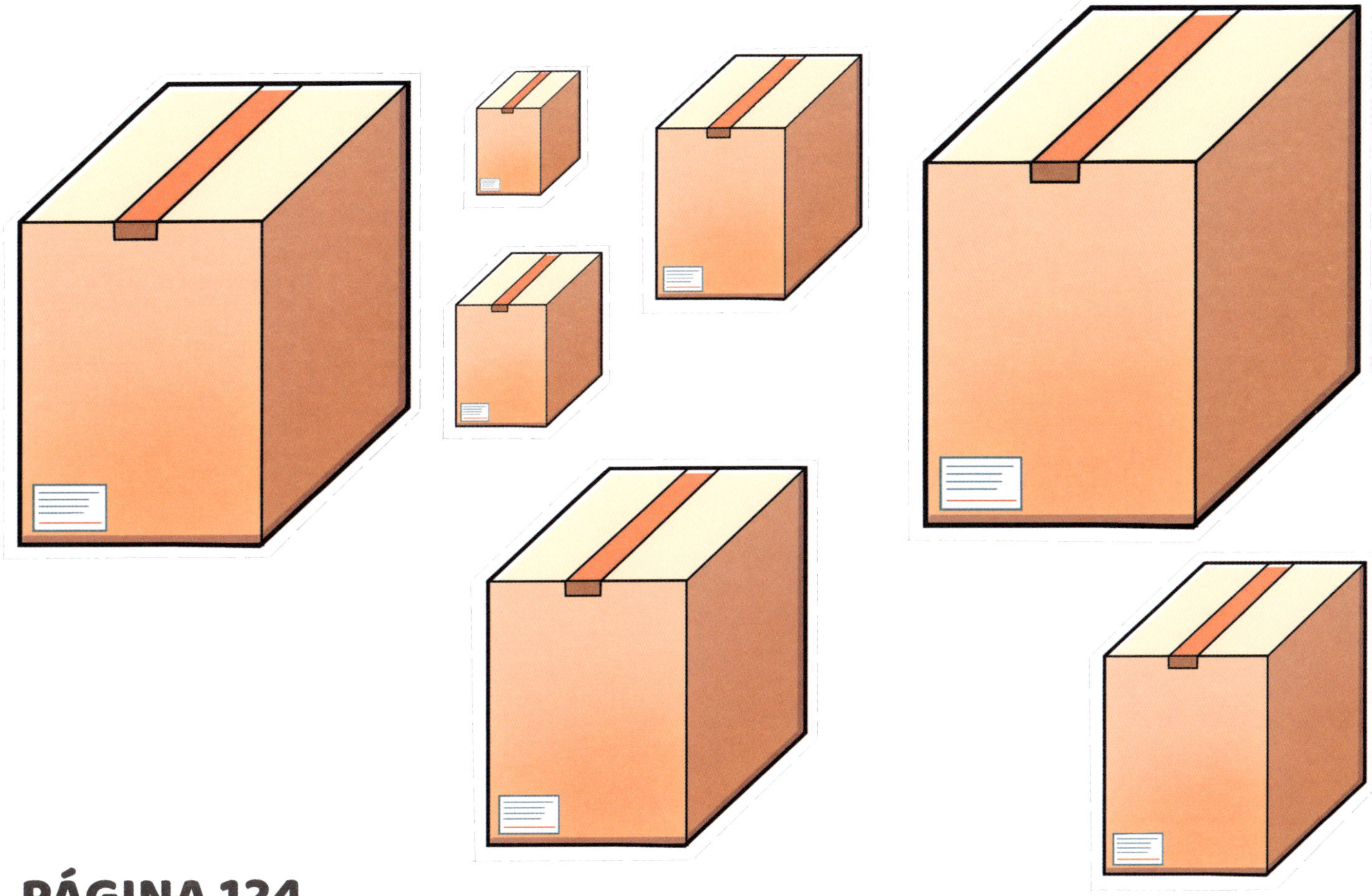

PÁGINA 124

PÁGINA 142

PÁGINA 150

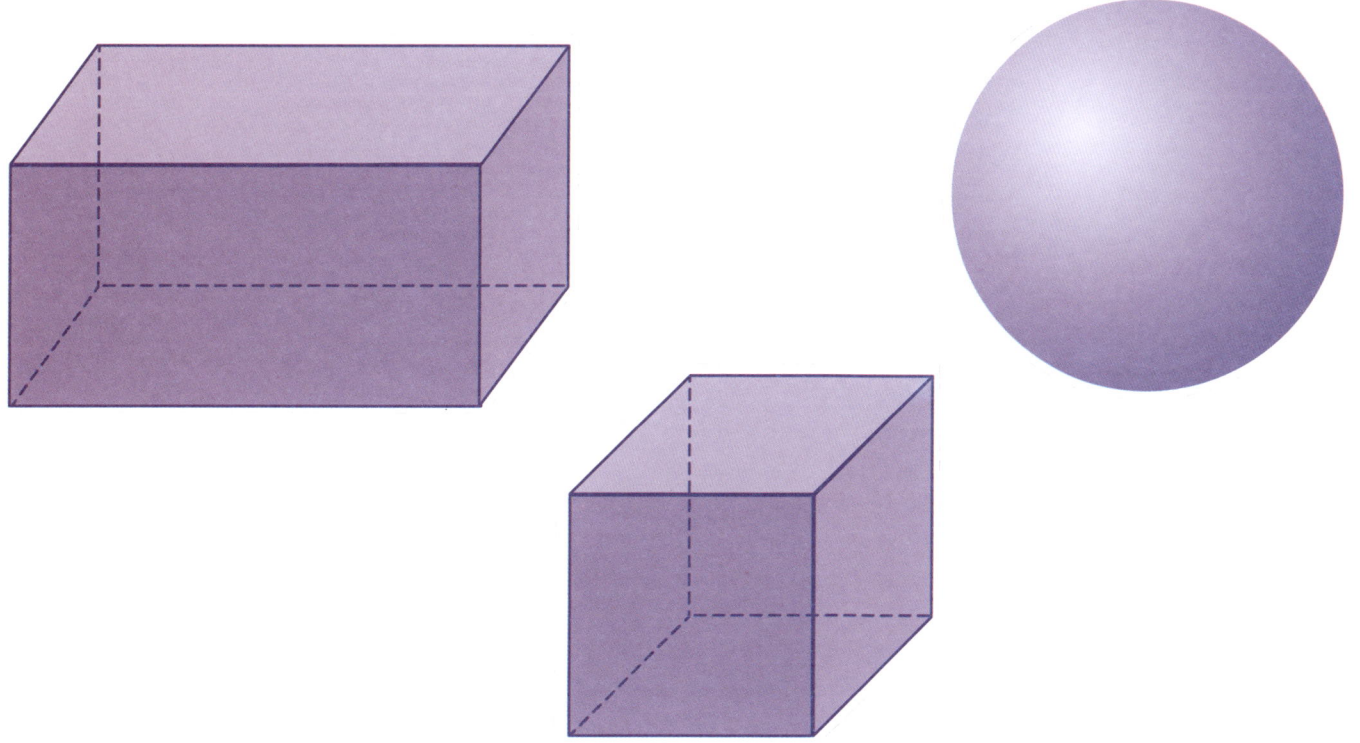

Mitanga

EM FAMÍLIA

2 EDUCAÇÃO INFANTIL

Editora do Brasil

APRESENTAÇÃO

É preciso uma aldeia para se educar uma criança.

Provérbio africano.

A educação de uma criança é um processo que envolve a família, a escola e toda a sociedade. Trata-se de uma responsabilidade compartilhada por todos nós.

Sabemos que na primeira infância, período que vai do nascimento até os 6 anos de idade, é construído o alicerce para a vida adulta.

Aos pais e demais cuidadores da criança, impõe-se a difícil tarefa de fazer escolhas ao longo desse processo de desenvolvimento, as quais precisam estar permeadas de responsabilidade, amor, criatividade e uma pitada de bom humor.

Buscando fortalecer a parceria entre escola e família, a Coleção Mitanga oferece o *Mitanga em família*, um caderno lúdico e, ao mesmo tempo, informativo, que busca disponibilizar aos pais e demais familiares uma aproximação de temas interessantes e atuais que estão ligados à primeira infância.

Além de textos e atividades para desenvolver com a criança, o material contém sugestões de livros, documentários, filmes e músicas. Também estão reservados, para cada tema abordado, espaços para escrever relatos, colar fotos, desenhar e pintar.

Este material é, portanto, uma obra inacabada e um convite para que os responsáveis pela criança interajam com o assunto e ajudem a construir uma agradável lembrança desta fase tão importante da vida humana.

Acompanhar o processo de desenvolvimento de uma criança é uma tarefa muito empolgante para todos que estão a seu redor. Cada criança é um ser humano único, com sua forma particular de ser e de compreender o mundo social em que vive. Esperamos que as informações e sugestões apresentadas nesta publicação sejam um instrumento de reflexão que contribua para o fortalecimento do vínculo entre pais e filhos, enriquecendo o trabalho desenvolvido no ambiente escolar.

SUMÁRIO

1. Base Nacional Comum Curricular .... **5** e **6**

2. O desenvolvimento da criança .... **7** a **10**

3. A importância do brincar .... **11** a **14**

4. Vivências com a natureza .... **15** a **18**

5. Criando brinquedos com sucata .... **19** a **23**

6. Brincadeiras musicais .... **24** a **27**

7. *Bullying* e inclusão .... **28** a **30**

Reflexão final: Para educar um filho **31**

Mensagem final dos pais **32**

1 BASE NACIONAL COMUM CURRICULAR

▶ **Afinal, o que é a BNCC?**

É um documento que define as aprendizagens essenciais que todos os alunos devem desenvolver ao longo das etapas e modalidades da Educação Básica, de modo que tenham assegurados seus direitos de aprendizagem e desenvolvimento, em conformidade com o que preceitua o Plano Nacional de Educação (PNE). Com a homologação desse documento, o Brasil inicia uma nova era na educação e se alinha aos melhores e mais qualificados sistemas educacionais do mundo.

A BNCC foca no desenvolvimento de **competências**, por meio da indicação clara do que os alunos devem "saber" e, sobretudo, do que devem "saber fazer" para resolver as demandas complexas da vida cotidiana, do pleno exercício da cidadania e do mundo do trabalho. Além disso, explicita seu compromisso com a **educação integral**, que visa construir processos educativos que promovam aprendizagens alinhadas às necessidades, possibilidades e aos interesses dos estudantes, bem como aos desafios da sociedade atual.

> No novo cenário mundial, reconhecer-se em seu contexto histórico e cultural, comunicar-se, ser criativo, analítico-crítico, participativo, aberto ao novo, colaborativo, resiliente, produtivo e responsável requer muito mais do que o acúmulo de informações. Requer o desenvolvimento de competências para **aprender a aprender**, saber lidar com a informação cada vez mais disponível, atuar com discernimento e responsabilidade nos contextos das culturas digitais, aplicar conhecimentos para resolver problemas, ter autonomia para tomar decisões, ser proativo para identificar os dados de uma situação e buscar soluções, conviver e aprender com as diferenças e as diversidades.
>
> BRASIL. Ministério da Educação. Secretaria da Educação. *Base Nacional Comum Curricular*. Brasília: Ministério da Educação, 2018. p. 14.

Quais são os 6 direitos de aprendizagem e desenvolvimento?

EDUCAÇÃO INFANTIL

Conviver | Brincar | Participar | Explorar | Expressar | Conhecer-se

PRINCIPAIS APRENDIZAGENS PARA A EDUCAÇÃO INFANTIL

Campo: O eu, o outro e o nós
- Respeitar e expressar sentimentos e emoções.
- Atuar em grupo e demonstrar interesse em construir novas relações, respeitando a diversidade e solidarizando-se com os outros.
- Conhecer e respeitar regras de convívio social, manifestando respeito pelo outro.

Campo: Traços, sons, cores e formas
- Discriminar os diferentes tipos de sons e ritmos e interagir com a música, percebendo-a como forma de expressão individual e coletiva.
- Expressar-se por meio das artes visuais, utilizando diferentes materiais.
- Relacionar-se com o outro empregando gestos, palavras, brincadeiras, jogos, imitações, observações e expressão corporal.

Campo: Espaços, tempos, quantidades, relações e transformações
- Identificar, nomear adequadamente e comparar as propriedades dos objetos, estabelecendo relações entre eles.
- Interagir com o meio ambiente e com fenômenos naturais ou artificiais, demonstrando curiosidade e cuidado com relação a eles.
- Utilizar vocabulário relativo às noções de grandeza (maior, menor, igual etc.), espaço (dentro e fora) e medidas (comprido, curto, grosso, fino) como meio de comunicação de suas experiências.
- Utilizar unidades de medida (dia e noite; dias, semanas, meses e ano) e noções de tempo (presente, passado e futuro; antes, agora e depois) para responder a necessidades e questões do cotidiano.
- Identificar e registrar quantidades por meio de diferentes formas de representação (contagens, desenhos, símbolos, escrita de números, organização de gráficos básicos etc.).

Campo: Corpo, gestos e movimentos
- Reconhecer a importância de ações e situações do cotidiano que contribuem para o cuidado de sua saúde e a manutenção de ambientes saudáveis.
- Apresentar autonomia nas práticas de higiene, alimentação, vestir-se e no cuidado com seu bem-estar, valorizando o próprio corpo.
- Utilizar o corpo intencionalmente (com criatividade, controle e adequação) como instrumento de interação com o outro e com o meio.
- Coordenar suas habilidades manuais.

Campo: Escuta, fala, pensamento e imaginação
- Expressar ideias, desejos e sentimentos em distintas situações de interação, por diferentes meios.
- Argumentar e relatar fatos oralmente, em sequência temporal e causal, organizando e adequando sua fala ao contexto em que é produzida.
- Ouvir, compreender, contar, recontar e criar narrativas.
- Conhecer diferentes gêneros e portadores textuais, demonstrando compreensão da função social da escrita e reconhecendo a leitura como fonte de prazer e informação.

BRASIL. Ministério da Educação. Secretaria da Educação. Base Nacional Comum Curricular. Brasília: Ministério da Educação, 2018. p. 52-53.

2 O DESENVOLVIMENTO DA CRIANÇA

Por volta dos 4 anos, a criança, já crescida, perde o aspecto de bebê. Correr, saltar, escalar, dançar... É uma fase de muita energia e disposição, portanto propícia para o incentivo da prática de esportes e de atividades ao ar livre.

Nessa idade, ela se relaciona bem com outras crianças, embora também goste de brincar e fantasiar sozinha. As brincadeiras que envolvem o "faz de conta" são parte de seu dia. Ela inventa histórias, desenvolve enredos e cria personagens. Nesse contexto, é possível até surgirem os amigos imaginários.

É importante que a criança seja convidada a acompanhar as atividades dos adultos, podendo participar de situações como cozinhar, plantar, arrumar a casa etc. Com o tempo, ela compreende a rotina da casa e se sente mais integrada à família.

Novos sentimentos podem aparecer, como o medo. Por isso, é importante que ela perceba que é amada e cuidada pelos adultos que a cercam.

Tomsickova Tatyana/Shutterstock.com

▶ Crianças de 4 a 5 anos

Desenvolvimento esperado
- ▼ Aumentar substancialmente o vocabulário.
- ▼ Desenvolver uma imaginação muito vívida.
- ▼ Perceber bem a rotina diária.
- ▼ Pentear o cabelo.
- ▼ Falar fluentemente.
- ▼ Poder sentir os medos próprios da infância, como o medo do escuro e de monstros.
- ▼ Já conseguir expressar seus sentimentos.
- ▼ Começar a perceber o perigo.

Possibilidade de estímulos
- ▼ Pergunte como foi na escola e escute com atenção e interesse.
- ▼ Atribua responsabilidades à criança, como arrumar o quarto, ajudar a arrumar a mesa, cuidar do animal de estimação etc.
- ▼ Propicie um ambiente cultural, com idas ao cinema, teatro e museus.
- ▼ Permita a participação no preparo da refeição da família.
- ▼ Conte e escute histórias.
- ▼ Deixe alguns livros infantis sempre ao alcance da criança.
- ▼ Quando não souber responder a alguma pergunta dela, diga que não sabe. Assim, vocês podem procurar a resposta juntos.

Seu filho tem um amigo imaginário? Saiba como agir

Você já viu seu filho conversando sozinho? Quer dizer, sozinho não, com o seu amigo imaginário? Muitas vezes, essa amizade é tão rica e tão cheia de detalhes que pega a família toda de surpresa. [...]

A psicóloga da Unicamp Luciene Paulino Tognetta, especialista em Desenvolvimento Social e da Personalidade, conta que esses amigos podem surgir aos 3 anos, mas são mais comuns por volta do quarto e do quinto ano de vida da criança, quando ela está no auge do período de representação simbólica. "Nessa fase, é forte a capacidade de evocação do que não é real, da fantasia. A criança entra em constante dramatização e a brincadeira de faz de conta é parte do dia a dia", explica a especialista.

O amigo imaginário é apenas uma das formas de lidar com a realidade, e não está diretamente relacionado ao nível de criatividade e imaginação. Tampouco é verdade que filho único tem laços mais estreitos com eles. Para muitas crianças, é mais fácil usar uma boneca ou um bicho de pelúcia para entrar nesse jogo simbólico de fantasia. Algumas fingem ser outra pessoa, outras cantam. E tem aquelas que inventam um amigo só seu, com pensamentos, vontades e conselhos sob medida para atender aos anseios de seu criador.

"Pode ser uma maneira de lidar com lacunas de relacionamento, de entender seus próprios sentimentos ou uma situação que está vivenciando, por exemplo, a separação dos pais ou a mudança de escola", explica Ricardo Halpern, presidente do Departamento de Pediatria do Comportamento e Desenvolvimento da Sociedade Brasileira de Pediatria (SBP). [...]

Em geral, não há o que os pais possam temer. Uma das pesquisas apresentadas em janeiro deste ano no Congresso Anual da Sociedade Britânica de Psicologia Infantil mostrou que, para 88% dos 265 pais participantes, a presença do amigo imaginário na vida do filho não é um problema, ao contrário, pode até ajudar no processo de desenvolvimento da criança. Propiciar mais momentos de diversão e ajudar na aceitação de limites foram citados por eles como os principais benefícios dessa amizade – desde que a fantasia não se sobreponha à realidade. [...]

Se você desconfiar que essa interação passa dos limites, observe se o seu filho está se isolando, se não quer mais ir à escola, se está deixando de comer. Se ele não quiser largar o amigo de jeito nenhum, será preciso uma investigação mais aprofundada para descobrir o que há por trás dessa fuga da realidade. Em paralelo, os pais podem estimular o convívio dele com crianças de verdade. Vale fazer festas do pijama, passeios no parque e tudo que melhore o convívio social.

Na maioria dos casos, a companhia imaginária é uma fase de transição. E, enquanto ela não passa, é melhor que os pais tratem a situação com normalidade, sem dar castigo ou repreender a criança para que ela não fique insegura e recorra à mentira. Entrar na brincadeira e aceitar que, por aquele período, a sua família ganhou um novo membro é a melhor saída. [...]

BASILIO, Andressa. Seu filho tem um amigo imaginário? Saiba como agir. *Crescer*, São Paulo, 17 fev. 2014. Disponível em: https://revistacrescer.globo.com/Criancas/Comportamento/noticia/2014/02/seu-filho-tem-um-amigo-imaginario-saiba-como-agir.html. Acesso em: 12 mar. 2020.

PROPOSTAS DE ATIVIDADES

Comecei o ano assim...

Cole abaixo uma fotografia atual de seu filho.

pixeldreams.eu/Shutterstock.com

O que já sei fazer sozinho?

Escreva abaixo algumas conquistas recentes de seu filho.

_____
_____
_____
_____
_____

3 A IMPORTÂNCIA DO BRINCAR

A Base Nacional Comum Curricular prioriza o brincar na Educação Infantil, pois entende que a criança aprende enquanto brinca.

Segundo a BNCC, brincar amplia e diversifica os conhecimentos da criança, sua imaginação, sua criatividade, suas experiências emocionais, corporais, sensoriais, expressivas, cognitivas, sociais, relacionais e o acesso a produções culturais.

Cabe aos pais e responsáveis criarem as condições necessárias para permitir o livre brincar. As crianças só precisam de espaço e tempo para que o mundo mágico da brincadeira apareça.

Se você reconhece que o dia a dia de sua família carece desses momentos, não se culpe! Existem formas de tornar a rotina mais lúdica e menos pesada. Não há uma receita única. Cada família, com sua dinâmica, pode – e deve – priorizar o brincar das crianças, preferencialmente ao ar livre.

A natureza é sem dúvida o melhor brinquedo de uma criança. É essencial que ela cresça em contato com o ambiente natural e seus elementos.

> A leitura do mundo precede a leitura da palavra.
>
> Paulo Freire

Para se inspirar

Brincando com a Turma da Mônica, de Mauricio de Sousa e Ricardo Nastari (Senac).

O livro convida a conhecer – ou relembrar – mais de 70 brincadeiras, jogos, passatempos e parlendas que deviam fazer parte do manual básico da infância feliz: alerta, pega-pega, cama de gato, mãe da rua, pique-bandeira, cabo de guerra, pular elástico, pular corda, entre tantas outras brincadeiras divertidas.

Tarja branca, de Cacau Rhoden (80 min).

As brincadeiras infantis fazem parte de nossa formação social, intelectual e afetiva. Por meio delas, socializamos, nos definimos e introjetamos muitos dos hábitos culturais da vida adulta. Todos brincamos na infância e, ao brincar, fomos livres e felizes. Mas será que ainda carregamos essa subjetividade brincante e cultura lúdica vivas dentro de nós? Será que a criança que fomos se orgulharia do adulto em que se transformou?

Você sabe qual é a importância da brincadeira na vida de seu filho? Confira abaixo 11 motivos para incentivar seu filho a brincar muito!

1. Combate a obesidade

É notória a importância do brincar para que a criança se movimente, desenvolva a motricidade e mantenha o peso regular, combatendo a obesidade e o sedentarismo. A brincadeira ao ar livre é fundamental para que a criança explore espaços maiores, mexa-se mais, experimente variações climáticas, tome sol (lembre-se sempre da proteção e dos horários adequados), entre outros benefícios. Meia hora de pega-pega, por exemplo, gasta em média 225 calorias e o mesmo tempo de amarelinha representa 135 calorias. "A convivência com a natureza reduz a obesidade, o déficit de atenção, a hiperatividade e melhora o desempenho escolar", afirma Daniel Becker, do Instituto de Pediatria da Universidade Federal do Rio de Janeiro. Além disso, ao ter contato com ela – seja em parques, praças ou praias –, seu filho cria uma conexão prazerosa com o meio ambiente e estabelece uma relação de respeito com todos os seres vivos.

2. Permite o autoconhecimento corporal

Quando o bebê bate palmas ou a criança anda de bicicleta, estão experimentando o que o corpo é capaz. "Se você permite que seu filho corra, tropece, caia e levante de novo, ele aprende sozinho sobre suas possibilidades e limitações", diz Luciane Motta, da Casa do Brincar (SP). Na brincadeira, o ser humano começa a ter consciência de si mesmo.

3. Estimula o otimismo, a cooperação e a negociação

Por que o brincar tem tanto valor, a ponto de estar previsto na Declaração Universal dos Direitos da Criança, do Unicef? Porque seus benefícios transbordam em muito o aspecto físico. É como se fosse uma característica inerente ao ser humano, defende o psiquiatra Stuart Brown, fundador do The National Institute for Play, na Califórnia (EUA). "Trata-se de uma necessidade biológica básica que ajuda a moldar o cérebro. A vantagem mais óbvia é a intensidade de prazer, algo que energiza, anima e renova o senso natural de otimismo", diz. Algumas habilidades essenciais, que serão requisitadas também no futuro, estão na brincadeira, como cita o estudo *O impacto do desenvolvimento na primeira infância sobre a aprendizagem*, do Comitê Científico do Núcleo Ciência pela Infância: "À medida que as brincadeiras se tornam mais complexas, o brincar oferece oportunidades para aprender em contextos de relações socioafetivas, onde são explorados aspectos como cooperação, autocontrole e negociação".

4. Gera resiliência

Uma das habilidades emocionais mais valorizadas hoje em dia também é desenvolvida no ato de brincar: a resiliência. Quando a criança perde no jogo ou o amigo não quer brincar da maneira como ela sugeriu, entra em cena a capacidade de lidar com a frustração, de se adaptar e se desenvolver a partir disso. Com essas experiências, ela aprende a administrar suas decepções e a enfrentar as adversidades.

5. Ensina a ter respeito

Relacionar-se com o outro é mais uma capacidade vivenciada na brincadeira. Ao interagir com os amigos, irmãos ou pais, a criança aprende a respeitar, ouvir e entender os outros e suas diferenças. Para isso, é essencial que ela possa brincar livremente, sem condições impostas por gênero. "O adulto que brincou bastante na infância é alguém aberto a mudanças, tem pensamentos mais divergentes e aceita a diferença com maior facilidade. No entanto, se uma menina só pode brincar de casinha e o menino, de carrinho, a brincadeira pode impactar para o mal", lembra Gisela Wajskop, doutora em Educação e colunista da *Crescer*.

6. Desenvolve a atenção e o autocontrole

Seja para montar um quebra-cabeça, equilibrar-se em um pé só ou empilhar uma torre com blocos, essas habilidades serão aperfeiçoadas a cada brincadeira. Sem contar que serão empregadas desde muito cedo na vida do seu filho, seja na hora de fazer uma prova ou de resolver um conflito.

7. Acaba com o tédio e a tristeza

Brincar ajuda a manter em ordem a saúde emocional – e as próprias crianças percebem esse benefício. Em um estudo realizado pela Universidade de Montreal, no Canadá, 25 meninos e meninas de 7 a 11 anos fotografaram e falaram de suas brincadeiras favoritas. Para eles, brincar é uma oportunidade de experimentar felicidade, combater o tédio, a tristeza, o medo e a solidão. "Quando pais, médicos e autoridades focam somente [o] aspecto físico da brincadeira, deixam de lado pontos benéficos para a saúde emocional e social", afirma a autora Katherine Frohlic.

8. Incentiva o trabalho em equipe

Nos jogos coletivos, como o futebol e a queimada, a capacidade de se relacionar com os demais também exige que a criança pense e aja enquanto parte integrante de um grupo. Em um mundo como o que vivemos, cada vez mais conectado, essa habilidade se faz ainda mais importante. Trabalha-se cada vez mais com projetos (desde a educação nas escolas até as grandes empresas), nos quais tudo parte de um interesse coletivo e todas as etapas são desenvolvidas em conjunto – por isso, aprender a defender um time hoje pode ter grande impacto lá na frente.

9. Instiga o raciocínio estratégico

Jogos de regra, como os de tabuleiro, põem as crianças em situações de impasse. Para solucioná-los, elas precisam raciocinar de maneira estratégica, argumentar, esperar, tomar decisões e, então, analisar os resultados. Ao solucionar problemas, elas vão tentar, errar e aprender com tudo isso – para que, na próxima rodada, possam fazer melhor, com mais repertório.

10. Promove criatividade e imaginação

Ao ler uma história, brincar de boneca ou construir um brinquedo com sucata, a criança desenvolve a imaginação. E, para isso, não precisa de muito: potes, galhos e panelas podem dar vida a tanta coisa! Foi o que mostrou uma pesquisa da RMIT University, de Melbourne, na Austrália, feita com 120 crianças de 5 a 12 anos. A conclusão é que itens como caixas e baldes incentivam mais a imaginação do que brinquedos caros. Isso porque esses materiais não induzem a uma ideia pronta.

11. Estabelece regras e limites

Brincando, a criança reconhece e respeita os limites do espaço, do outro e de si mesma. E passa a lidar com regras, aprendendo a segui-las. Se tiver abertura, ela poderá até questioná-las. Isso será fundamental para conviver em sociedade – quando se faz necessário seguir certas convenções, mas também tentar mudar o cenário para melhor, se possível.

HEYGI, Fernanda. Importância do brincar: 11 motivos para seu filho se divertir muito. *Crescer*, São Paulo, 27 mar. 2015. Disponível em: https://revistacrescer.globo.com/Brincar-e-preciso/noticia/2015/03/importancia-do-brincar-11-motivos-para-seu-filho-se-divertir-muito.html. Acesso em: 12 mar. 2020.

PROPOSTAS DE ATIVIDADES

Tempo juntos

A natureza tem o poder de tornar as crianças mais saudáveis e mais felizes. Pensando nisso, sugerimos uma atividade muito divertida para ser feita em família: acampar!

[...] acampar é uma vivência tão especial e intensa que é como se vivêssemos dois meses em dois dias. Muita coisa acontece conosco: aprendemos a reconhecer nossas possibilidades e limites, exercitando nossa autonomia e lidando com riscos.

Cooperamos e nos responsabilizamos por nós mesmos e pelo próximo. Experimentamos escutar, ceder, liderar e seguir. Percebemos que é possível viver e ser feliz com muito pouco e assim damos um passo a mais no sentido de distinguir o essencial do supérfluo.

E então, subitamente, nos pegamos gostando de aventuras ao ar livre e nos encantamos pelo imenso mundo que dividimos com tantas outras formas de vida.

Dormir sob as estrelas, conversar no escuro da barraca, sentir a proximidade da natureza, cozinhar juntos ao ar livre e conviver em família desconectados de eletrônicos são vivências inesquecíveis compartilhadas por pais, mães e filhos. [...]

FLEURY, Laís (coord.). *Acampando com crianças*. [S. l.]: Programa Criança e Natureza; Instituto Alana, 2019. p. 1-2. Disponível em: https://criancaenatureza.org.br/wp-content/uploads/2019/07/Guia-Acampando-com-Crian%C3%A7as.pdf. Acesso em: 12 mar. 2020.

Para ler e conhecer

Acampando com crianças, coordenado por Laís Fleury (Criança e Natureza e Instituto Alana).
Disponível em: https://criancaenatureza.org.br/wp-content/uploads/2019/07/Guia-Acampando-com-Crian%C3%A7as.pdf. Acesso em: 12 mar. 2020.

4 VIVÊNCIAS COM A NATUREZA

> O contato com a natureza melhora todos os marcos mais importantes de uma infância saudável – imunidade, memória, sono, capacidade de aprendizado, sociabilidade, capacidade física – e contribui significativamente para o bem-estar integral das crianças e jovens. As evidências apontam que os benefícios são mútuos: assim como as crianças e os adolescentes precisam da natureza, a natureza precisa das crianças e dos jovens.
>
> Programa Criança e Natureza

Hoje, com o excesso de tecnologias e de consumo, é muito comum que as crianças cresçam sem contato com a natureza. Isso, sem dúvida, causa prejuízo ao desenvolvimento físico e mental delas.

O distanciamento da natureza é tanto que, em 2005, no livro *The last child in the woods* ("A última criança na natureza"), Richard Louv desenvolveu um conceito para definir crianças que foram apartadas do contato com o mundo natural, que denominou "transtorno de déficit de natureza". Essas crianças podem apresentar sintomas como irritabilidade, déficit de atenção, hiperatividade, depressão, obesidade, entre outros.

Para saber mais

Criança e natureza.
Disponível em: https://criancaenatureza.org.br/. Acesso em: 26 mar. 2020.

Criança e Natureza

Para ler

A última criança na natureza: resgatando nossas crianças do transtorno do déficit de natureza, de Richard Louv (Aquariana).
O livro trata do impacto negativo da falta da natureza na vida das crianças, especialmente as que vivem em ambientes urbanos.

A última criança na natureza: resgatando nossas crianças do transtorno do déficit de natureza. Richard Louv. Aquariana, 2016

Natureza: um ótimo remédio

Entrevista com a pediatra Evelyn Eisenstein

Pais e mães de crianças e adolescentes têm recebido receitas diferentes ao final da consulta com a pediatra Evelyn Eisenstein, no Rio de Janeiro. O papel, que tem data, CRM e carimbo, tudo dentro dos conformes, traz indicações como: "Faça uma caminhada ao ar livre, todos os dias"; "Desconecte o celular na hora das refeições".

Maluquice? Nada disso! São recomendações que constam do manual que Evelyn, que faz parte da Sociedade Brasileira de Pediatria, ajudou a elaborar, em parceria com o Grupo de Trabalho em Saúde e Natureza, do Instituto Alana. O manual visa orientar famílias, pediatras e educadores sobre a importância do convívio de crianças e adolescentes em meio à natureza para obter saúde e bem-estar. "Hoje, estamos tendo que falar sobre o óbvio: tecnologia precisa, também, de ter limites, desconectar!"

A ligação entre uma infância cada vez mais fechada entre quatro paredes e o sedentarismo, o sobrepeso e a obesidade já foi bastante estudada. Agora, começam a surgir também associações com prejuízos à saúde como hiperatividade, baixa motricidade, déficit de atenção, e até miopia… Pode nos contar mais sobre isso?

Não é uma relação direta, de causa e efeito, como ocorre com uma bactéria e uma infecção. Uma correlação multifatorial como a do cigarro e o câncer de pulmão, que demorou 50 anos para ser provada, mas já está estabelecida. Estamos falando sobre influências de um contexto social que favorece o surgimento de certos danos à saúde: cidades superpopulosas, com muito estresse à volta das crianças, poluição do ar e sonora, e poucas opções de lazer ao ar livre. Esses fatores todos levam ao confinamento. As pessoas, quando saem de casa, vão ao *shopping* ou a outros lugares fechados, onde o emparedamento segue. Mas as crianças precisam de sol na pele, para produzir vitamina D, de espaço para correr e brincar livremente, para desenvolver sua motricidade. Há estudos associando a falta de brincar com o aumento da prevalência de estresse tóxico e de transtornos comportamentais, como o de déficit de atenção e hiperatividade (TDAH) e a depressão. O contato com a natureza também propicia um relaxamento e a possibilidade de desenvolver curiosidade, criatividade, autonomia. Locais amplos exercitam os olhos a enxergar longe e perto, algo que não ocorre quando se está muitas horas somente em frente a telas e espaços fechados.

Você costuma prescrever aos seus pacientes contato com a natureza, mais vida ao ar livre. Quais são as reações quando faz isso?

Sim, faço isso o tempo todo, tenho falado, recomendado: "Dê a mão ao seu filho e vá caminhar. Aqui, no Rio de Janeiro, tem a Lagoa, o Aterro, o Jardim Botânico…". Outra coisa que recomendo é se desconectar, tanto na hora das refeições como duas ou três horas antes de ir dormir. É bom para a família. Outro dia, uma mãe me disse que na casa dela não havia mais "hora da refeição", que cada um esquentava seu prato e ficava em suas redes sociais nos *smartphones*. Isso significa que estamos perdendo convivência familiar, que não estamos nos dando a oportunidade de estar juntos para conversar com os filhos, tentar compreender o que pensam ou como se sentem. Quando digo isso, muitos se surpreendem. Acho que prefeririam que eu somente receitasse um remédio e não algo tão simples, como uma caminhada e uma boa conversa.

Indo além da responsabilidade dos pais, não haveria outros fatores que condicionam esse estilo de vida, como a escassez de oferta de praças e parques nas cidades?

Sim, concordo plenamente: Cadê as políticas públicas de prevenção? Existe uma falta de visão de futuro para determinantes sociais da saúde, não só a proteção da pessoa, a segurança mas também em relação ao lazer, à saúde mental, como diminuir o estresse, como incentivar as pessoas a praticar mais exercícios. Aí muitos vão para dentro de uma academia de ginástica, confinados, com música estridente, em vez de fazer um passeio ao ar livre. Quanto mais a sociedade estiver informada e pressionar os governos, mais chances haverá de acontecer alguma mudança.

Antigamente, as pessoas diziam "eu sou nervosa". Hoje, muitos adolescentes se apresentam dizendo que têm "ansiedade", "depressão", "síndrome do pânico". O que vem acontecendo?

Quando alguém me diz algo assim, faço uma única pergunta: Quantas horas esse adolescente dorme por dia? Crianças e adolescentes precisam entre nove e dez horas de sono diário. No mínimo, oito horas. Isso é determinante em seu comportamento, em seu bem-estar durante a fase de crescimento e desenvolvimento corporal, cerebral, emocional. A adolescência é um período de enorme energia, de criação, questionamento, de oportunidades. Esses adolescentes poderiam estar fazendo um trabalho comunitário, exercendo sua liderança ou protagonismo juvenil na música, na arte, nos esportes ou acompanhando crianças mais novas, e isso lhes daria uma outra dimensão, um outro sentido de vida. Estamos enxergando as crianças e adolescentes somente como um produto de consumo. E isso é muito grave. Por exemplo, os jardins japoneses foram criados para diminuir o estresse, para ensinar a plantar, a colher, a admirar a natureza. Assim deveriam ser as praças públicas. O que fazer se as autoridades não geram condições para tanto? Precisamos mudar nossa visão do contexto, da natureza a ser preservada à nossa volta, para nosso próprio benefício. Conheço um pai de um paciente que montou um forno de *pizza* em casa e, todo domingo, recebe os amigos adolescentes do filho para preparar e comer *pizza*. Virou um programa. É preciso fazer coisas juntos, se relacionar melhor!

NATUREZA: um ótimo remédio. *Criança e Natureza*, [s. l.], [20--?]. Disponível em: https://criancaenatureza.org.br/entrevistas/natureza-um-otimo-remedio/. Acesso em: 12 mar. 2020.

PROPOSTAS DE ATIVIDADES

Diário de acampamento

E aí, que tal reunir a família e acampar em um lugar bem bonito?

Depois, escreva abaixo um resumo da vivência com seu filho no acampamento. Algumas informações importantes para registrar: Onde fomos? O que comemos? Que animais vimos? Quais as plantas mais bonitas? Como foi a noite? Qual foi o momento mais divertido? Quais foram as maiores dificuldades? Vamos repetir o passeio?

_____
_____
_____
_____
_____

Agora, com seu filho, faça um desenho desse momento no espaço a seguir.

5 CRIANDO BRINQUEDOS COM SUCATA

A crise mundial da poluição por plásticos é uma triste realidade. Segundo estudo lançado pelo WWF (*Relatório da Dalberg Advisors*, WWF, 2019), o volume de plástico que vaza para os oceanos todos os anos é de aproximadamente 10 milhões de toneladas. Dados do mesmo estudo indicam que quase metade de todo esse plástico é utilizada para fabricar produtos descartáveis com vida útil menor que três anos.

O Brasil produz, em média, aproximadamente 1 quilo de lixo plástico por habitante a cada semana. Nossos solos, águas doces e oceanos estão contaminados com macro, micro e nanoplásticos, que podem ser ingeridos por seres humanos e outros animais.

Repensar nossos hábitos é urgente. Você conhece a política dos **5 Rs**? Saiba mais sobre ela e considere implementá-la em sua casa!

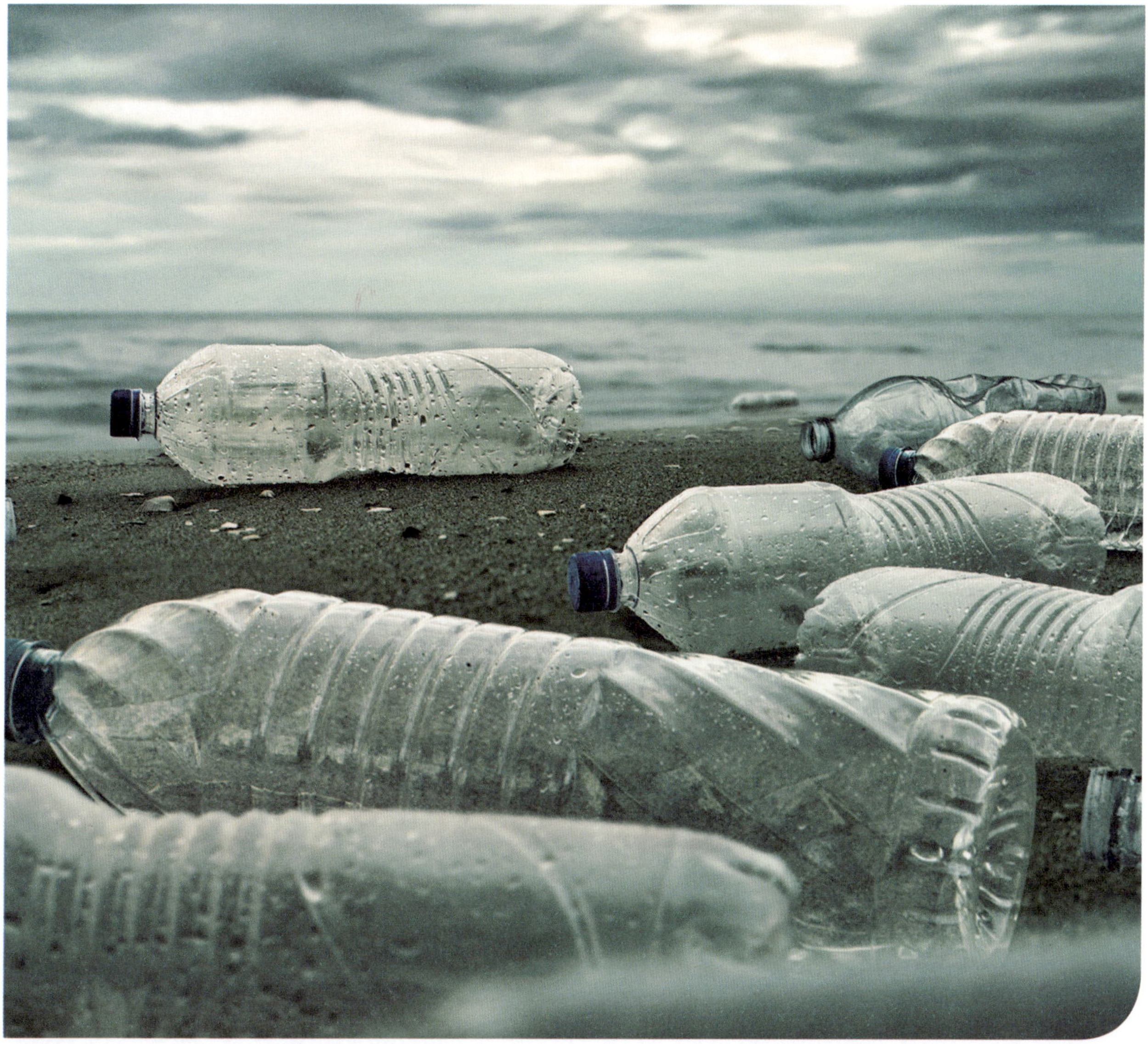

chaiyapruek youprasert/Shutterstock.com

O significado dos 5 Rs da sustentabilidade

1. Repensar

Antes de efetuar qualquer compra, reflita se é realmente necessária tal aquisição, se você não está comprando por impulso, talvez você até consiga reaproveitar algo que já possui. Avalie quais os danos este produto causa ao meio ambiente ou à sua saúde.

2. Recusar

Recuse produtos que vêm em embalagens de plástico, prefira as recicláveis como de vidro e metal ou as biodegradáveis. Utilize *ecobags* ao invés de usar a sacolinha plástica do mercado. Prefira as mercadorias de empresas que tenham compromisso com o meio ambiente.

3. Reduzir

Reduza seu consumo, o barato às vezes sai caro, por isso adquira produtos de qualidade e com maior durabilidade. Outras formas de reduzir são: preferir alimentos a granel, levando o próprio recipiente, utilizar lâmpadas LED, usar pilhas recarregáveis etc. Dessa forma, além de ter uma economia, você reduz o seu lixo.

4. Reutilizar

Dê uma nova vida para materiais que já foram utilizados. Doe roupas que você não usa mais, conserte o que estiver quebrado como eletrodomésticos e móveis. Use sua criatividade; resíduos de plásticos, papéis, metal, madeira, entre outros, podem ser utilizados no artesanato virando lindas peças de decoração.

5. Reciclar

Faça coleta seletiva na sua casa; seus resíduos serão reciclados e transformados em outros produtos. Ao reciclar, economiza-se energia, recursos naturais, [contribui-se] para a redução da poluição e [prolonga-se] a vida útil dos aterros sanitários.

CACHOEIRA, Danielle Muniz – T.M.A. Entenda o significado dos 5 Rs da sustentabilidade. *Portal HypeVerde*, [s. l.], 21 dez. 2018. Disponível em: www.hypeverde.com.br/5-rs-da-sustentabilidade/. Acesso em: 12 mar. 2020.

PROPOSTAS DE ATIVIDADES

Listamos algumas ideias bacanas para você fazer brinquedos reciclados com seu filho reutilizando material que iria para o lixo. E o mais legal de tudo é que são bem simples e fáceis de criar.

Bilboquê

Olha, que bacana fazer um bilboquê com uma simples garrafa PET e barbante! Vocês podem usar fita adesiva colorida ou tinta plástica para decorá-lo.

Fernando Favoretto

Bonecos e robôs

Os bonecos e robôs de seu filho serão agora criados e personalizados por ele. Veja esses modelos feitos com materiais reutilizados.

Binóculo

Rolinhos de papel higiênico vazios e barbante podem virar um incrível binóculo para seu filho explorar a natureza ou ainda brincar de detetive com os colegas. Uma opção simples de ser criada e diversão garantida para as crianças.

Telefone

Com caixinhas de diversos tamanhos, vocês podem montar uma infinidade de brinquedos, como esse telefone. As embalagens podem ser encapadas ou pintadas com tinta guache.

Vaivém

Mais uma ideia para reaproveitar diversas embalagens. Com garrafas PET, rolinhos de papel higiênico, fios de varal e fitas adesivas você pode um vaivém com a ajuda de seu filho. É um brinquedo antigo, mas que ainda faz sucesso entre a garotada. Convide toda a família a se movimentar abrindo e fechando os braços com ele.

Jogo "Cai, não cai"

Funciona assim: cada jogador tira uma vareta por rodada, mas não pode deixar as bolinhas de gude caírem. Aquele que deixar cair menos bolinhas de gude ganha o jogo!

Material:

- ▼ garrafa PET de 2 litros;
- ▼ palitos de churrasco;
- ▼ bolinhas de gude;
- ▼ pirógrafo (ou objeto que fure a garrafa PET).

Como fazer e como brincar

- ▼ Usando o pirógrafo, faça vários furinhos em volta da garrafa PET. Faça em fileiras horizontais para ficar mais fácil (imagem 1).

- ▼ Para montar o jogo, os palitos devem ser dispostos nos furinhos da garrafa, atravessando-a (imagem 2).

- ▼ Em seguida, coloque todas as bolinhas de gude pelo gargalo da garrafa e feche-a (imagem 3).

- ▼ Cada jogador, em sua vez, deve retirar um palito da garrafa sem deixar as bolinhas caírem.

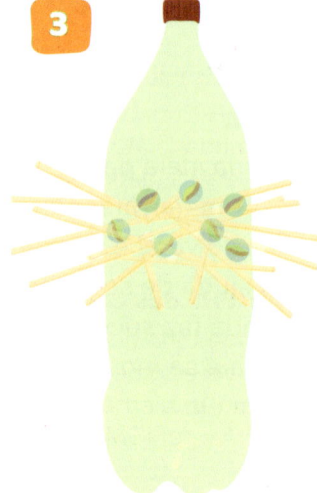

- ▼ Se desejar, pinte com tinta guache os palitos de churrasco de 3 ou 4 cores distintas e atribua uma pontuação diferente a cada cor.

- ▼ Vence o jogador que não deixar as bolinhas caírem ou deixar cair a menor quantidade.

PROPOSTAS DE ATIVIDADES

Como cuidamos do meio ambiente?

É fundamental que a educação ambiental esteja inserida no aprendizado desde a infância. Pensando nisso, responda, com a ajuda de seu filho: Como você e sua família cuidam do meio ambiente?

Escreva abaixo o que vocês já fazem ou pretendem começar a fazer para ajudar a cuidar do meio ambiente, que é de todos nós.

_____
_____
_____
_____
_____
_____
_____
_____
_____
_____

Para saber mais

WWF-Brasil. Disponível em: www.wwf.org.br/. Acesso em: 26 mar. 2020.
O WWF-Brasil é uma organização da sociedade civil brasileira que trabalha para mudar a atual trajetória de degradação ambiental e promover um futuro em que sociedade e natureza vivam em harmonia.

A história das coisas (*The story of stuff*), de Louis Fox (21 min).
Documentário que aborda o consumo exagerado de bens materiais e comenta o impacto negativo desse consumo no meio ambiente. Disponível em: www.youtube.com/watch?v=7qFiGMSnNjw&feature=emb_logo. Acesso em: 12 mar. 2020.

6 BRINCADEIRAS MUSICAIS

As cantigas populares constituem a mais viva expressão linguística de um povo. Com suas letras simples, são modelos para as crianças em idade pré-escolar, que, de maneira prazerosa, captam a estrutura das frases e do pensamento do povo ao qual fazem parte, o que lhes propicia diversas possibilidades de expressar-se verbalmente.

É altamente recomendável que os pais desenvolvam brincadeiras musicais com seus filhos. Quando associadas a danças, jogos e brincadeiras, as cantigas populares ampliam as possibilidades de interação, diversão e vínculo afetivo com as crianças.

Para ler

Brincadeirinhas musicais, de Palavra Cantada (Melhoramentos).
De maneira lúdica, o livro mostra às crianças maneiras divertidas de brincar com músicas conhecidas do Palavra Cantada, disponíveis no DVD que acompanha o livro. De forma simples, reúne a família toda em brincadeiras que podem ser feitas na sala de casa. Além disso, o livro convida as crianças a interagir com o universo musical usando diversos instrumentos – inclusive o próprio corpo.

Para assistir

Tum Pá, de Barbatuques (MCD).
Esse DVD é uma divertida jornada musical pelos sons da música corporal, com jogos rítmicos, assobio, canto e brincadeira.

Cantigas populares para ouvir e brincar

Alecrim

Alecrim, alecrim dourado,
Que nasceu no campo
Sem ser semeado.
Foi meu amor
Que me disse assim,
Que a flor do campo é o alecrim.

A canoa virou

A canoa virou.
Foi pro fundo do mar.
Foi por causa da Maria
Que não soube remar.
Se eu fosse um peixinho
E soubesse nadar,
Eu tirava a Maria
Lá do fundo do mar.

Ciranda, cirandinha

Ciranda, cirandinha,
Vamos todos cirandar.
Vamos dar a meia-volta,
Volta e meia vamos dar.
O anel que tu me deste
Era vidro e se quebrou.
O amor que tu me tinhas
Era pouco e se acabou.

O cravo brigou com a rosa

O cravo brigou com a rosa
Debaixo de uma sacada.
O cravo saiu ferido
E a rosa, despedaçada.
O cravo ficou doente.
A rosa foi visitar.
O cravo teve um desmaio,
A rosa pôs-se a chorar.

Escravos de Jó

Escravos de Jó
Jogavam caxangá.
Tira, põe,
Deixa o Zé Pereira ficar.
Guerreiros com guerreiros
Fazem zigue-zigue-zá!
Guerreiros com guerreiros
Fazem zigue-zigue-zá!

Iconic Bestiary/Shutterstock.com

▶ Parlendas populares

As parlendas são versinhos com temática infantil que fazem parte do folclore brasileiro. Passadas de geração em geração, as parlendas são rimas usadas como brincadeira pelas crianças. Relembre algumas parlendas para brincar com seu filho.

Um, dois, feijão com arroz
Três, quatro, feijão no prato
Cinco, seis, falar inglês
Sete, oito, comer biscoitos
Nove, dez, comer pastéis.

O macaco foi à feira
Não sabia o que comprar.
Comprou uma cadeira
Pra comadre se sentar.
A comadre se sentou,
A cadeira esborrachou.
Coitadinha da comadre
Foi parar no corredor.

Dedo mindinho,
Seu vizinho,
Pai de todos,
Fura-bolo,
Cata-piolhos.

Hoje é domingo, pede cachimbo.
Cachimbo é de barro, bate no jarro.
O jarro é fino, bate no sino.
O sino é de ouro, bate no touro.
O touro é valente, bate na gente.
A gente é fraco, cai no buraco.
O buraco é fundo, acabou-se o mundo!

Janela, janelinha
Porta, campainha
Ding, dong.

Batatinha quando nasce,
Espalha a rama pelo chão.
Menininha quando dorme,
Põe a mão no coração.

Subi na roseira,
Quebrou um galho.
Segura, menino,
Senão eu caio.

gradyreese/Getty Images

PROPOSTAS DE ATIVIDADES

Criatividade na música

Que tal criar uma parlenda ou uma cantiga de roda com seu filho?
Escreva aqui a música ou parlenda que vocês criaram.

_____
_____
_____
_____
_____

Dançamos muito bem!

Você tem o hábito de dançar com seus filhos? Registre aqui um momento em que vocês se divertiram dançando. Pode ser uma fotografia ou um desenho.

7 BULLYING

Eis um tema "espinhoso", mas extremamente necessário de abordar com os pais: o *bullying* escolar. Trata-se de uma prática de violências físicas ou psicológicas constantes feitas por um ou mais agressores à vítima no ambiente escolar.

A expressão é originada da palavra inglesa *bully* (que em tradução livre corresponde a "brigão" ou "valentão"). Essa prática pode se apresentar em formas mais sutis, como apelidos e brincadeiras maldosas, podendo chegar a casos mais sérios, por exemplo, xingamentos e empurrões.

É apenas depois dos 3 anos de idade que as crianças desenvolvem a socialização e o senso de "outros", dando-se conta de que as pessoas ao redor não são todas iguais. Com isso, surgem os primeiros casos de discriminação, implicâncias e humilhações. O *bullying* dói, e é necessário falar sobre ele. A dor que se sente nem sempre se vê, pois ela muitas vezes é abafada e menosprezada pelos adultos cuidadores. Por isso, a parceria entre pais e professores é um fator essencial no combate e na prevenção.

É importante também identificar quem pratica a violência, para que os responsáveis sejam alertados e tomem providências, no sentido de ensinar por que esse comportamento não é bom. Especialistas ponderam que os que praticam o *bullying* são os que mais precisam de ajuda.

▶ O que os pais podem fazer?

Se seu filho sofre *bullying*, esteja atento:
- ▼ Mostre que ele não está sozinho.
- ▼ Converse muito com a criança, demonstrando interesse por sua rotina escolar e seus sentimentos.
- ▼ Identifique de onde vem a agressão e as circunstâncias, buscando esclarecimentos com o professor e a direção da escola.
- ▼ Não coloque a responsabilidade do que está ocorrendo nele. Um dos maiores problemas da criança que sofre o *bullying* é a vergonha dos colegas e de contar aos pais. Por isso tantas crianças sofrem caladas.
- ▼ Instrua a criança a se afastar do agressor, mas ficar alerta e sempre denunciar essas agressões.
- ▼ Não estimule que ele "dê o troco", batendo no coleguinha. Isso só vai gerar mais conflito e violência.
- ▼ Ajude seu filho a se envolver em outras atividades que lhe interessem e reforcem sua autoestima.
- ▼ Considere pedir ajuda a um psicólogo.

Se seu filho pratica *bullying*, esteja atento:
- ▼ Escute seu filho. Quando são escutadas, as crianças podem refletir melhor sobre o que fizeram e descobrir o que poderiam ter feito em vez de humilhar ou maltratar alguém.
- ▼ Procure a escola para ouvir o que os profissionais têm a dizer.
- ▼ Exercite a empatia, fazendo com que seu filho tente se colocar no lugar do outro e imaginar o que ele sente.
- ▼ Esclareça a seu filho que brincadeiras que ofendem, humilham ou intimidam os outros não são brincadeiras, mas padrões de agressão.
- ▼ Promova o respeito dentro de casa. Ensine a seu filho que cada indivíduo tem suas particularidades e que ninguém é igual a ninguém.
- ▼ Avalie se o comportamento de seu filho pode ser um pedido de ajuda, um sinal de baixa autoestima ou desejo de ser escutado.
- ▼ Dê um voto de confiança. Onde não há perdão, não há amor, nem a possibilidade de acontecer a construção de uma boa autoestima.
- ▼ Considere pedir ajuda a um psicólogo.

PROPOSTAS DE ATIVIDADES

Reflexão

E vocês, pais, já enfrentaram preconceitos ou *bullying* em algum momento da infância ou até mesmo na vida adulta? Que tal conversar sobre isso com seu filho, principalmente reforçando a ele que estratégias você utilizou para lidar com a situação?

Conversem a respeito disso e escreva atitudes positivas de superação do *bullying*.

_____
_____
_____
_____
_____

Para assistir

Festa nas nuvens, produzido por Pixar (5 min).

Este curta-metragem faz uma reflexão sobre as diferenças e sobre como é possível conviver bem com elas. Disponível em: www.youtube.com/watch?v=pktG7AJRL8k (acesso em: 13 mar. 2020).

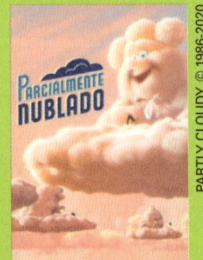

PARTLY CLOUDY, © 1986-2020 DISNEY/PIXAR

Colegas, de Marcelo Galvão (94 min).

Disposto a quebrar paradigmas, o diretor, produtor, editor e roteirista Marcelo Galvão apresenta o premiado *Colegas*, uma aventura despretensiosa, protagonizada por um trio de atores com síndrome de Down.

Colegas, Europa Filmes, 2013

Extraordinário, de Stephen Chbosky (113 min).

Auggie Pullman é um garoto que nasceu com uma deformação facial, o que fez com que passasse por 27 cirurgias plásticas. Aos 10 anos, ele, pela primeira vez, frequentará uma escola regular como qualquer outra criança. Lá, precisa lidar com a sensação constante de ser sempre observado e avaliado por todos à sua volta.

Extraordinário, Paris Filmes, 2017

REFLEXÃO FINAL: PARA EDUCAR UM FILHO

Era uma sessão de terapia. "Não tenho tempo para educar a minha filha", ela disse. Um psicanalista ortodoxo tomaria essa deixa como um caminho para a exploração do inconsciente da cliente. Ali estava um fio solto no tecido da ansiedade materna. Era só puxar um fio... Culpa. Ansiedade e culpa nos levariam para os sinistros subterrâneos da alma. Mas eu nunca fui ortodoxo. Sempre caminhei ao contrário na religião, na psicanálise, na universidade, na política, o que me tem valido não poucas complicações. O fato é que eu tenho um lado bruto, igual àquele do Analista de Bagé. Não puxei o fio solto dela. Ofereci-lhe meu próprio fio. "Eu nunca eduquei meus filhos...", eu disse. Ela fez uma pausa perplexa. Deve ter pensado: "Mas que psicanalista é esse que não educa os seus filhos?". "Nunca educou seus filhos?", perguntou. Respondi: "Não, nunca. Eu só vivi com eles". Essa memória antiga saiu da sombra quando uma jornalista, que preparava um artigo dirigido aos pais, me perguntou: "Que conselho o senhor daria aos pais?". Respondi: "Nenhum. Não dou conselhos. Apenas diria: a infância é muito curta. Muito mais cedo do que se imagina os filhos crescerão e baterão as asas. Já não nos darão ouvidos. Já não serão nossos. No curto tempo da infância há apenas uma coisa a ser feita: viver com eles, viver gostoso com eles. Sem currículo. A vida é o currículo. Vivendo juntos, pais e filhos aprendem. A coisa mais importante a ser aprendida nada tem a ver com informações. Conheço pessoas bem informadas que são idiotas perfeitos. O que se ensina é o espaço manso e curioso que é criado pela relação lúdica entre pais e filhos". Ensina-se um mundo! Vi, numa manhã de sábado, num parquinho, uma cena triste: um pai levara o filho para brincar. Com a mão esquerda empurrava o balanço. Com a mão direita segurava o jornal que estava lendo... Em poucos anos, sua mão esquerda estará vazia. Em compensação, ele terá duas mãos para segurar o jornal".

ALVES, Rubem. *Ostra feliz não faz pérola*. 2. ed. São Paulo: Planeta, 2014. p. 113-114.

MENSAGEM FINAL DOS PAIS

_____
_____
_____
_____
_____
_____
_____
_____
_____
_____